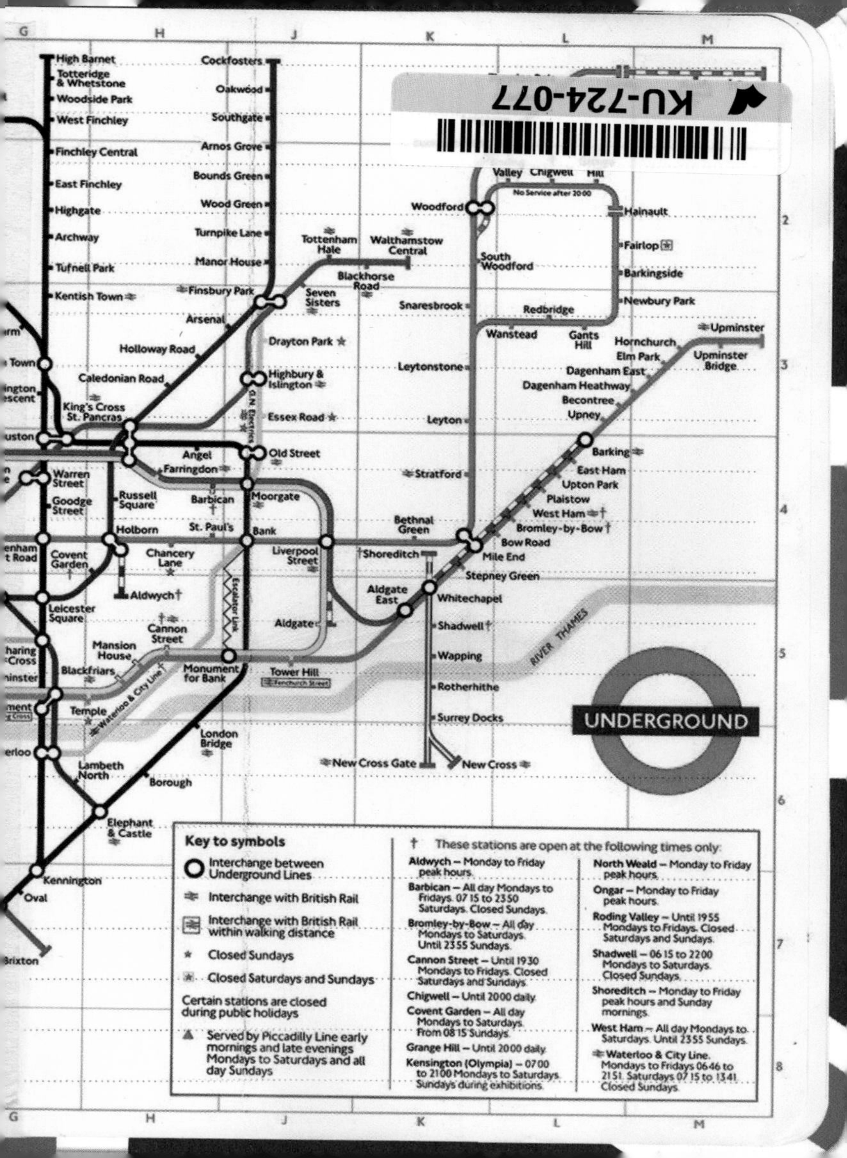

High Barnet
Totteridge & Whetstone
Woodside Park
West Finchley
Finchley Central
East Finchley
Highgate
Archway
Tufnell Park
Kentish Town
Cockfosters
Oakwood
Southgate
Arnos Grove
Bounds Green
Wood Green
Turnpike Lane
Manor House
Finsbury Park
Arsenal
Holloway Road
Caledonian Road
King's Cross St. Pancras
Euston
Warren Street
Goodge Street
Russell Square
Holborn
Covent Garden
Leicester Square
Aldwych
Chancery Lane
Angel
Farringdon
Barbican
St. Paul's
Bank
Moorgate
Old Street
Highbury & Islington
Drayton Park
Essex Road
G.N. Electrics
Seven Sisters
Tottenham Hale
Blackhorse Road
Walthamstow Central
Liverpool Street
Aldgate
Aldgate East
Shoreditch
Bethnal Green
Whitechapel
Shadwell
Wapping
Rotherhithe
Surrey Docks
New Cross Gate
New Cross
Cannon Street
Mansion House
Blackfriars
Temple
Monument for Bank
Tower Hill
Fenchurch Street
Escalator Link
Waterloo & City Line
London Bridge
Borough
Lambeth North
Elephant & Castle
Kennington
Oval
Brixton
River Thames
Woodford
South Woodford
Snaresbrook
Leytonstone
Leyton
Stratford
Wanstead
Redbridge
Gants Hill
Newbury Park
Barkingside
Fairlop
Hainault
Valley
Chigwell
Hill
No Service after 20:00
Mile End
Stepney Green
Bow Road
Bromley-by-Bow
West Ham
Plaistow
Upton Park
East Ham
Barking
Upney
Becontree
Dagenham Heathway
Dagenham East
Elm Park
Hornchurch
Upminster Bridge
Upminster
UNDERGROUND
Key to symbols
Interchange between Underground Lines
Interchange with British Rail
Interchange with British Rail within walking distance
Closed Sundays
Closed Saturdays and Sundays
Certain stations are closed during public holidays
Served by Piccadilly Line early mornings and late evenings Mondays to Saturdays and all day Sundays
† These stations are open at the following times only:
Aldwych – Monday to Friday peak hours.
Barbican – All day Mondays to Fridays. 07 15 to 23 50 Saturdays. Closed Sundays.
Bromley-by-Bow – All day Mondays to Saturdays. Until 23 55 Sundays.
Cannon Street – Until 19 30 Mondays to Fridays. Closed Saturdays and Sundays.
Chigwell – Until 20 00 daily.
Covent Garden – All day Mondays to Saturdays. From 08 15 Sundays.
Grange Hill – Until 20 00 daily.
Kensington (Olympia) – 07 00 to 21 00 Mondays to Saturdays. Sundays during exhibitions.
North Weald – Monday to Friday peak hours.
Ongar – Monday to Friday peak hours.
Roding Valley – Until 19 55 Mondays to Fridays. Closed Saturdays and Sundays.
Shadwell – 06 15 to 22 00 Mondays to Saturdays. Closed Sundays.
Shoreditch – Monday to Friday peak hours and Sunday mornings.
West Ham – All day Mondays to Saturdays. Until 23 55 Sundays.
Waterloo & City Line. Mondays to Fridays 06 46 to 21 51. Saturdays 07 15 to 13 41. Closed Sundays.

EN ANNORLUNDA
LONDON
MIND THE GAP
UK
RESEGUIDE

MIND THE GAP

www.nicotext.com, info@nicotext.com

Fotografier tillhör de omskrivna företagen om inte annat anges.

Text: Sara Starkström, Nicotext redaktion

Sättning, foton och grafik:

Tess Jacobson Design – Grafisk design, Produkt design och Illustration

www.tessjdesign.tumblr.com eller www.tessj.com

Tryckt i Finalnd hos Bookwell

ISBN: 9789187397066

NICOTEXT
www.nicotext.com

MIND THE GAP

– en reseguide över Londons otaliga hemligheter

Svenskar dyrkar London som en andra huvudstad till Sverige. Vi vallfärdar hit under långdragna vårvintrar för att få en försmak av våren, vi tar en kort flygtur hit på weekendresor både privat och i affärsmässiga göromål.

Det finns en mängd guideböcker skrivna om London men för oss nordbor känns de en smula förenklade. Vi vet redan var Big Ben och Tower Bridge ligger, vi besökte dem redan under en språkresa i tonåren. Vad vi behöver är en guidebok som berättar om de mer hemliga platserna som londonborna håller för sig själva. Alla dessa restauranger, pubar, parker och museer där vi slipper träffa våra grannar hemifrån – vi vill ha russinen i den engelska muffinsen helt enkelt!

I mind the gap avslöjas de hemligaste av hemliga av Londons förbisedda, gömda och spektakulära sevärdheter. Allt det där spännande du vill göra när du tröttnat på att åka runt i The London Eye eller gå den sedvanliga shoppingturen på Oxford Street.

BEE-UTIFUL!
©TREND
KEEP
CALM
AND
LOND
ON
PICCADILLY
CIRCUS W1
CITY OF WESTMINSTER

20P
St Paul's Cathedral
THE UNITED KINGDOM
15P
especially for you
Big Ben
60½P THE UNITED KINGDOM
especially for you
LONDON BRIDGE
ENGLAND
Stick
THE CITY OF
LONDON
GREAT
TWENTY
20
CAMDEN LOCK
OXFORD CIRCUS
UNDERGROUND
TELEPHONE
HOT NUMBER

INDEX

HEMLIGA HOTELL
- Your home away from home

CLINK78

– Övernatta i fängelsecell

Adress: 78 King's Cross Road, London WC1X 9QG
Kostnad: från £12/natt i sovsal, £40–50 i singel- och dubbelrum.
Telefonnummer: +44 (0)20 7183 9400
Station: King's Cross St. Pancras
www.clinkhostels.com

Clink78 är ett ungdomligt, livligt vandrarhem inrymt i ett 200-årigt tingshus. Här blandas elegant viktoriansk arkitektur med modern inredning. I källaren finns en bar med plats för 500 personer där du träffar resenärer från världens alla hörn. Charles Dickens sägs ha skrivit sin roman Oliver Twist här 1837 och 1978 åtalades bandet The Clash i tingshuset för att de skjutit prisbelönta duvor. Här finns autentiska fängelseceller med modern hotellstandard från £50/rum (1–2 personer) eller privata rum från £40/rum (1–2 personer). Här bor den som vill bo ekonomiskt och hänga med backpackers.

ST. CHRISTOPHER'S INN @ LONDON BRIDGE

– Vandrarhem för ungdomliga resenärer

Adress: 59–61 Borough High Street, SE1 1HR, Southwark
Kostnad: från £35/natt för ett dubbelrum, i sovsal: från £16/natt
Telefonnummer: +44 (0)207 939 9710
Station: London Bridge
www.st-christophers.co.uk

Vilken världsberömd kvinna föddes 13 oktober 1925 I Grantham, Lincolnshire och blev "Conservative member of parliament" för Finchley i norra London 1959?

Svar: Margaret Thatcher.

St. Christopher's är en vandrarhemskedja som finns i flera storstäder runt om i Europa. Är du backpacker får du rabatt om du bor på flera olika av St. Christopher's vandrarhem efter varandra. I London finns de på flera platser, bland annat i Camden eller Greenwich. Önskar du ge dig iväg utanför London finns kedjan även i Bath, Brighton och Edinburgh. Vandrarhemmet är även känt för sin Belushi's Bar där både boende och utomstående gäster minglar glatt. Kanske är detta boende därför inte något för de som vill ha en lågmäld och lugn semester. St. Christopher's London Bridge ligger runt hörnet till Borough Market och Tower of London.
Här är frukosten spartansk men gratis. Liksom många vandrarhem (hostel) är detta en plats där unga möts och delar sovsal, men det finns också dubbelrum för betydligt lägre priser än på ett vanligt hotell. Har man barn under 18 år med sig på resan får man ej dela rum med gäster som inte tillhör det egna resesällskapet. St. Christopher's bokas enkelt över internet.

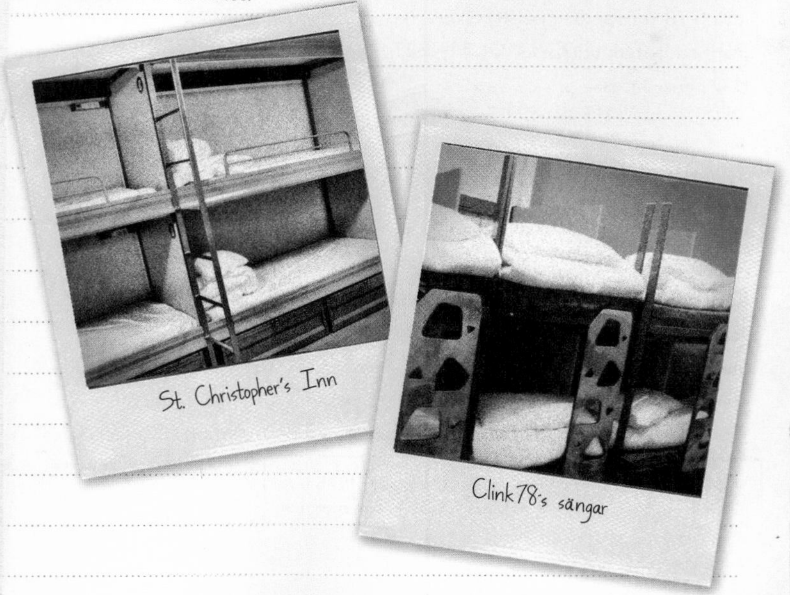

St. Christopher's Inn

Clink78's sängar

TWENTY NEVERN SQUARE HOTEL****

Adress: 20 Nevern Square, London SW5 9PD
Kostnad: från £79/natt
Telefonnummer: +44 (0)20-7565 9555
Station: Earl's Court
www.20nevernsquare.com

Ett intimt hotell med endast 20 rum. Det känns nästan som att du är en permanent londonbo. Rummens design är influerad av orienten och Europa. Det finns handsnidade möbler i varje rum. I "Pasha suite" får du till och med en egen balkong. För det här priset bor du lyxigt men billigt, och hotellet är en av Londons bättre bevarade hemligheter.

TUNE HOTEL LIVERPOOL STREET ***

Hur många pund är en "jack" enligt engelsk slang?

Adress: 15 Folgate St, London E1 6BX
Kostnad: från £80/natt
Telefonnummer: +44 (0)20 7456 0400
Station: Liverpool Street Station
www.tunehotels.com

Kedjans koncept är att erbjuda en god natts sömn till rimliga priser. Särskilt framhåller de sina strömlinjeformade rum med högklassiga sängar och något som de kallar "power showers". Hotellet ligger 500 meter från Liverpool Street tunnelbanestation och bara tre portar bort på 18 Folgate Street hittar du Dennis Severs' House (se sid 108–109): ett museum där gästerna förflyttas tillbaka till 1800-talet. I London kan du bo på Tune Hotel i Westminster, på Liverpool Street enligt ovan, eller på Paddington eller på King's Cross.

Svar: 5 pund: enligt rimmet "jacks alive, five".

STYLOTEL ***

Adress: 160–162 Sussex Gardens W2 1UD
Kostnad: dubbelrum från £85/natt, familjerum fyra personer från £120/natt
Telefonnummer: +44 (0)20-7723 1016
Station: Paddington Station
www.stylotel.com

Stig in i ett futuristiskt ultramodernt mecka med klara färger, rostfritt stål och praktiska lösningar. Väggar av glas eller stål med lädermöbler är inte direkt vad man väntar sig i området. Hotellet är nämligen en toppmodern fastighet som ligger mellan två "townhouses" från 1800-talet. Här bor du endast två minuters gångväg från Paddington Station där snabbtåg går till Heathrow Airport var femtonde minut. Det tar fem minuter att gå till Hyde Park och endast det dubbla för att du ska befinna dig i hjärtat av Londons shoppingdistrikt.

Tune Hotel Liverpool

Stylotel

RAMADA HOTEL & SUITES @ LONDON DOCKLANDS****

Adress: Excel 2, 2 Festoon Way, Royal Victoria Dock, London E16 1RH
Kostnad: från £90/natt
Telefonnummer: +44(0)207 540 4820
Station: Prince Regent (DLR)
www.ramadadocklands.co.uk

Hotellet har ett dramatiskt läge vid flodkanten i London Docklands. Här finns gratis wifi, gym och terrass. Hotellet ligger nära London City Airport och en knapp halvtimme med kollektivtrafik från Londons centralare delar. Frukosten ska vara något utöver det vanliga. I de 224 rummen bor många affärsresande och familjer; miljön är mer vuxen. Här bor du för betydligt lägre priser än på de hotell som ligger mitt i smeten, trots att du har allting någorlunda nära till hands.

Vem regisserade filmen "Lock Stock and Two Smoking Barrels" från 1998?

THE HOXTON HOTEL ****

Adress: 81 Great Eastern St, London, EC2A 3HU
Kostnad: från £99/natt
Telefonnummer: +44 (0)20 7550 1000
Station: Old Street
www.hoxtonhotels.com

Inredningen är en blandning av rock n'roll och supermodernt. Förvilla dig i vinröda korridorer diskret upplysta av neonlampor i gult, exponerade tegelväggar och sprakande brasor. I taket ser du futuristiska rör och på den lilla innergården serveras moderna amerikanska grillrätter. Baren är välbesökt av ortsbefolkningen och du bor mitt i den sjudande stadsdelen Shoreditch där det finns mycket att uppleva till skäliga priser.

Svar: Guy Ritchie.

THE PAVILION HOTEL ***

– Londons coolaste hotell för rockstjärnor

Adress: 34–36 Sussex Gardens, Paddington, London
Kostnad: från £110/natt
Telefonnummer: +44 (0)20 7262 0905
Station: Edgware Road
www.pavilionhoteluk.com

The Pavilion Hotel ligger i ett område med avslappnad atmosfär i ett radhus i centrala London. Det är ett eklektiskt hotell skapat av syskonparet Danny och Noshi Karne som sökte ett alternativ till alla "tråkiga hotell" runt om i världen. De trettio rummen har alla fantastiskt fantasifull inredning, där du hittar allt från hyllningar av 1970-talet till ett rum helt i rött. Som gäst här känner du dig som Alice i Underlandet eller som en rockstjärna i rum med namn som "Enter the dragon" och "Funky Zebra". Här har Morrissey, Manic Street Preachers, The Beach Boys, Duran Duran och många andra musikaliska storheter haft sina nattkvarter. Som gäst har du nära till Baker Street, Oxford Street och Marble Arch.

HAZLITT'S HOTEL ****

Adress: 16 Frith Street, Soho Square, London W1D 3JA

Kostnad: från £240/natt

Telefonnummer: +44 (0)20 7434 1771

Station: Tottenham Court Road

www.hazlittshotel.com

På detta hotell återvänder vi till 1800-talets pompa och ståt. Utsnidade träsängar med gulddetaljer, tjocka draperier och ljuskronor i taket. Hotellet byggdes redan 1718 och är fyllt av antikviteter från samma tidsanda. I hotellets bibliotek – där gästerna även intar sin frukost – finns ett signerat exemplar av en av böckerna om Harry Potter från ett tillfälle då författaren J.K. Rowling bodde på hotellet. Oxford Street ligger endast ett stenkast bort.

Svar: 14 dagar.

Hur lång tid är en ”fortnight”?

THE SANCTUM SOHO *****

Adress: 20 Warwick Street, Soho, London W1B 5NF
Kostnad: från £240/natt
Telefonnummer: +44 (0)20 7292 6100
Station: Piccadilly Circus
www.sanctumsoho.com

Sanctum Soho Hotel erbjuder komfort, stil och elegans i hjärtat av Londons livliga Soho. Här på Warwick Street har två vackra georgianska hus byggts om till ett hotell med trettio rum och en modern brittisk restaurang. Hotellet är beläget i hjärtat av West End och har både underjordisk biograf och takträdgård med bar. Det här är ett femstjärnigt hotell som kostar därefter.

ROUGH LUXE ****

Adress: 1 Birkenhead Street, Camden, London, WC1H 8BA
Kostnad: från £255/natt
Telefonnummer: +44 (0)20 7837 5338
Station: King's Cross
www.roughluxe.co.uk

Här finner du gediget ruff blandat med lyx. Du bor nästan som inbjuden gäst till husets ägare. På hotellet serveras en överdådig frukost – lunch och middag äter du på någon av de närbelägna restaurangerna i området. Inredningen består av gammalt och nytt i en salig röra. Gäster som har bott på hotellet kallar det en unik upplevelse, där ägarna ses som något utöver det vanliga för sin gästfrihet och service. Det är inte ovanligt att de bjuder på en kopp te och en pratstund. Även om det är litet och ganska trångt är sängarna så sköna att du vill sova här varje gång du kommer till London.

Vad hette William Shakespeares fru?

Svar: Anne Hathaway.

BO PÅ BÅT ELLER HYR ETT RUM I NÅGONS HEM

www.airbnb.com

På sidan Airbnb.com kan du finna alternativa möjligheter till boende. Sök till exempel på ”Central London Canal Narrowboat” och bo på en båt för £135/dygnet.
På den här sidan hyr folk ut sina lägenheter över hela London och i andra städer i Europa.

BO GRATIS MED FRÄMMANDE VÄRD

www.couchsurfing.org

På sidan CouchSurfing.org kan du hitta personer i London som låter dig sova på deras soffa, helt gratis. Det enda kruxet är att du själv måste erbjuda din soffa i gengäld... Detta betyder inte att du måste tacka ja till vem som helst som vill sova hos dig, du väljer själv dina gäster efter att du har pratat med dem.

Sanctum Hotel Soho

Rough Luxe Hotel

ORIGINELLA RESTAURANGER

– Det engelska köket i varianter

THE BREAKFAST CLUB @ SPITALFIELDS BC

– Testa engelsk hipsterfrukost

Adress: 12–16 Artillery Lane, London E1 7LS
Öppettider: Mån–ons: 07:30–23:00, tors–lör: 08:00–24:00, sön: 08:00–22:30
Kostnad: £8–10 frukost/lunch/middag
Telefonnummer: +44 (0)20 7078 9633
Station: Liverpool Street
www.thebreakfastclubcafes.com

Caféet serverar en klassisk engelsk frukost med ägg, korv och bacon, amerikanska pannkakor och gröt. Det finns även bra vegetariska alternativ. Dessutom finns det BBQ-sandwich och falafel med mera. Caféet finns på fem andra platser förutom på Artillery Lane: Soho, Camden, Hoxton, Battersea och under 2014 öppnades ett sjätte café vid London Bridge. Tips: testa de amerikanska pannkakorna, de är gudomliga! På kvällen finns den hemliga baren "The Mayor of Scaredy Cat Town" (se sid 53) under frukostcaféet på Artillery Lane: ingången till den hemliga baren är genom ett kylskåp.

LA BODEGA NEGRA

– Mexikansk lönnrestaurang

Adress: 16 Moor Street, London W1D 5NH
Öppettider: Mån–lör: 18:00–01:00, sön: 18:00–23:30
Kostnad: £12–39 för en varmrätt exkl. tillbehör
Telefonnummer: +44 (0)207 758 4100
Station: Leicester Square
www.labodeganegra.com

Vad är det skotska "crowdie" för något: en maträtt eller ett slangord för en populär pub?

Svar: En skotsk typ av ost. Om du druckit för mycket whisky sägs osten kunna minska berusningen.

La bodega negra är ett hemligt tillhåll bakom en stor svart dörr som utlovar en sexshop men istället avslöjar en restaurang i nattklubbsatmosfär, med mexikansk mat och tequilakunnig personal. Bäst valuta för pengarna får du i cocktailbaren. Livlig miljö, snabba kast i serveringen och en oförglömlig stämning. Små portioner gör att du även har plats för den fantastiska chokladtårtan till efterrätt.

The Breakfast Club @ Spitalfields BC

La Bodega Negra

ST. JOHN BAR AND RESTAURANT

Adress: 126 St. John Street, London, EC1M 4AY
Öppettider: lunch mån–fre: 12:00–15:00, lunch sön: 13:00–15:00, middag mån–lör: 18:00–23:00, sön: middagsstängt
Kostnad: Omkring £20 för en huvudrätt
Telefonnummer: +44 (0)20 7251 0848
Station: Barbican eller Farringdon
www.stjohngroup.uk.com

Lokalen var tidigare ett rökeri som låg runt hörnet från Smithfield Market. Huset har en brokig historia som bostadshus, kinesisk ölbutik samt skådeplats för ravefester. Dessutom sägs ovanvåningen ha varit ett högkvarter för marxister under det sena 1960-talet. Byggnaden har inte förändrats mycket, man har målat väggarna vita och installerat en bar och ett bageri. De sex meter höga takfönstren finns kvar. Här serveras brittiska klassiker som lammstek med mintsås, piggvar med fänkål samt njur- eller nötfärstoast.

THE PHOENIX ARTIST CLUB

– Mygla dig in på medlemskrogen för teaterfolk

Adress: 1 Phoenix Street, London WC2H 8BU
Öppettider: mån-lör: 17:00–02:30, sön 17:00-01:00
Kostnad: Från £8 för en varmrätt
Telefonnummer: +44 (0)20 7836 1077
Station: Covent Garden
www.phoenixartistclub.com

Vad brukar byggnaden på 30 St Mary Axe kallas?

Svar: The Gherkin, vilket betyder inlagd gurka, tornet liknar en saltgurka lite grann.

För att komma hit går du längs mindre sidogata (som för övrigt användes i filmatiseringen av Harry Potter). Under The Phoenix Theatre ligger denna undangömda pärla till restaurang. Alla som är någon från West End hänger här.
Inredningen är inspirerad av 1930-talet, med art deco-detaljer och fantastisk ljussättning i baren och de olika båsen. Maten som serveras är inspirerad av det engelska samt det grekiska köket. Hit går du dock inte enbart för spisen – snarare för den gemytliga miljön och sällskapet. Om det gör någon som helst skillnad så har Kiera Knightly, Jude Law och Janice Dickinson besökt klubben. Väggarna är täckta av fascinerande teaterposters och målningar från åren som gått. Här kan vad som helst hända, som det brukar vara inom teaterns värld. Det krävs dock ett medlemskap på £120/år, men om du är där innan klockan 20:00 eller har en biljett från teatern ovanpå får du komma in ändå. På hemsidan annonseras olika evenemang.

St. John Bar and Restaurant

The Phoenix artist club

GILGAMESH RESTAURANT BAR & NIGHTCLUB

– En asiatisk dröm du inte bör missa

Adress: The Camden Stables Market, Chalk Farm Road, London NW1 8AH
Öppettider: restaurang, alla dagar: 12:00–24:00, nattklubb: 21:00–SENT
Kostnad: Varmrätter från £10
Telefonnummer: +44 (0)20 7482 5757
Station: Camden Town
www.gilgameshbar.com

Gilgamesh är en fantastiskt vacker oas med överdådig utsmyckning. Snirkliga trädekorationer, tråddraperier i starka färger, palmer, vackra statyer och blodröda restaurangmöbler varvas om vartannat. Det är högt i tak och ägarna har även installerat ett skjutbart tak som hålls öppet under behagliga sommardagar, om kvällarna är taket vackert belyst av små spotlights. Här serveras en mängd asiatiska delikatesser, sushi, sashimi, dim sum och tempura. Restaurangen har fått lysande recensioner och flera utmärkelser. Efter helgmiddagen kan du fortsätta kvällen på nattklubben "The Studio" som ligger i anslutning till restaurangen, men kontrollera gärna att det inte är bokat av ett privat sällskap innan ditt besök.

WHEELER'S OF ST. JAMES'S

Adress: 72–73 St. James's St, London SW1A 1PH
Öppettider: Mån–fre: 12:00–15:00, 17:30–22:30, lör: 17:30–22:30, sön: stängt
Kostnad: Två rätter £16.95, tre rätter £22:50
Telefonnummer: +44 (0)20 7408 1440
Station: Green Park
www.wheelersrestaurant.org

Vem skrev det berömda citatet: "The first thing we do, let's kill all the lawyers."?

Svar: William Shakespeare.

Wheeler's är en fiskrestaurang som är belägen i hjärtat av London. Restaurangen har genomgått en rejäl make-over och har i dag en glamorös matsal med privata middagsrum och en traditionell bar med mindre traditionella drycker. Wheeler´s är populärt både bland turister och Londonbor.

PHAT PHUC NOODLE BAR

– Vietnamesiskt gatukök med ett roligt namn

Adress: 151 Sydney Street, London SW3 6NT
Öppettider: varje dag 11:00–19:00
Kostnad: £6.95 för en varmrätt
Telefonnummer: +44 (0)20 7351 3843
Station: South Kensington eller Sloane Square
www.phatphucnoodlebar.co.uk

Denna restaurang ska efterlikna ett autentiskt gatukök i Vietnam. Den har möjligen fått sin främsta publicitet för sitt namn Phat Phuc som betyder ”lycklig Buddha” – men som på engelska låter ungefär som ”din fete djävul”. Här serveras klassiska vietnamesiska rätter från £7. Till efterrätt äter du en banankaka för £3. Notera den tidiga stängningstiden samt att gatuköket ligger utomhus.

BERNERS TAVERN

– Restaurang med Michelinbelönad kock

Adress: The London Edition Hotel, 10 Berners St, London W1T 3LF
Öppettider: alla dagar: 7:00–00:00
Kostnad: Omkring £20 för en varmrätt
Telefonnummer: +44 (0)20 7908 7979
Station: Oxford Circus eller Tottenham Court Road
www.bernerstavern.com

På denna femstjärniga restaurang äter du mat från det engelska köket som verkligen överträffar kulinariska rykte. Restaurangen hör till Marriott Hotel och kocken är belönad med en Michelinstjärna. Här bjuds du en fantastisk måltid – frukost, lunch eller middag. Miljön är pampig med vackra gipsutsmyckningar i taken. Väggarna är proppfulla av tavelramar fyllda med blandad konst. Barens utbud visas upp i en gigantisk neonbelyst bokhylla med glasdörrar och i taket hänger tunga, men moderna, ljuskronor. Det är en elegant mix av antikt med funkismöbler och helmodern attityd. Går du hit för att äta middag är det en god idé att ta på sig finskorna och en matchande outfit.

UPSTAIRS

– Chic men opretentiös fransk restaurang i en lägenhet i Brixton

Adress: 89B Acre Lane, Brixton (entré från Branksome Road)
Öppettider: Mån–lör: 18:30–24:00, sön: stängt
Kostnad: tvårättersmiddag £29
Telefonnummer: +44 (0)20 7733 8855
Station: Brixton
www.upstairslondon.com

Svar: Att sitta i fängelse.

När du väl hittar den hemliga entrén möts du av fransk gästfrihet och rätter som fullkomligt överträffar menyns synbara enkelhet – ett fåtal rätter, sparsamt beskrivna. Här består inte det vegetarianska alternativet av en vissen sallad utan en riktig måltid. Borden är små och intima. Att dinera i denna miljö med en öppen eldstad i ett gammalt viktorianskt hus och serveras fransk mat som gärna omnämns i samma mening som Michelinstjärnor ger dig valuta för båda sidorna av slanten trots de något väl tilllagna priserna. Menyn skiftar ofta men de stående paradrätterna grillade sardiner med grönsaker från Provence, steak tartare och engelsk äppelpaj slår många andra restauranger med hästlängder. På första våningen finner du även en trevlig bar där du kan släcka törsten innan måltiden.

Vad betyder det engelska slanget att vara i "Her Majesty's Pleasure"?

SARASTRO RESTAURANT

– Operarestaurang med show efter showen

Adress: 126 Drury Lane, Theatre Land, London, WC2B 5SU
Öppettider: mån–fre: 12:30–22:30, lör: 12:30–23:00,
sön: 12:30–16:00, 18:00–22:00
Kostnad: Cirka £16 för en varmrätt
Telefonnummer: +44 (0)20 7836 0101
Station: Covent Garden eller Hoborn
www.sarastro-restaurant.com

Vilken färg har tunnelbanans Jubilee Line?

Detta är något för alla operafantaster, men passar också den som gillar överdådig inredning med glittrande guldig atmosfär. Restaurangen ser ut ungefär som insidan av en opera med röda sammetsdraperier och utsmyckningar i guld. Det sägs vara den enda restaurangen i London med balkonger – och vilka balkonger sedan! Under middagen kan du lyssna på operasång och klassisk musik live. Här bör du boka bord då det är en mycket populär restaurang, särskilt vid stora högtider när Sarastro framför särskilda program för middagsgästerna.

Svar: Silver.

FAT BOY'S DINER

– Amerikanska hamburgare från 1940-talet i unik miljö

Adress: Trinity Buoy Wharf, 64 Orchard Place, London, E14 OJW
Öppettider: Ons–sön: 10:00–17:00
Kostnad: hamburgare £4
Telefonnummer: +44 (0)20 7987 4334
Station: East India (DLR)
www.fatboysdiner.net

Restaurangen ligger i en byggnad som ser ut som en klassisk motorvägssylta från amerikanska filmer. När du stiger in förflyttas du till 1940-talets Amerika. Här kan du njuta av ett urval "fatburgers", amerikansk frukost, pannkakor och goda smörgåsar. De har även en mängd pajer och olika glassorter, smoothies och yoghurt shakes. I bakgrunden kan du se Londons enda "fyr"; ett hus med ett fyrliknande torn. Om du passerar Fat Boy's Diner kan du helt enkelt inte låta bli att gå in.

DANS LE NOIR

– Ät en överraskningsmiddag i totalt mörker

Adress: 30–31 Clerkenwell Green, London EC1R 0DU
Öppettider: Lunchsittning: 12:00–15:00, middag första sittning: 18:30–19:30, middag andra sittning endast fre–lör: 21:15–22:00
Kostnad: Överraskningsmeny med två rätter £42
Telefonnummer: +44 (0)20 7253 1100
Station: Farringdon station eller Chancery Lane
www.london.danslenoir.com

Vilken brittisk sångerska släppte albumet "50 Words For Snow" 2011?

Svar: Kate Bush.

Restaurangens koncept går ut på att du och ditt sällskap beställer en meny som ni sedan äter i mörkret, i ett så kallat mörkrum. Ni kan välja mellan fyra menyer: Vit: exotisk och annorlunda, Blå: fisk och seafood, Röd: kött eller Grön: vegetarisk. Efter beställningen ska man lämna ifrån sig allting som kan ge ljus ifrån sig, samt väska och jacka, då dessa inte får medtas in i mörkrummet. Det är en helt unik upplevelse att äta en middag utan att få något synintryck av maten. Roligast är kanske att gå hit tillsammans med en grupp, men självklart fungerar det också för två personer. Boka bord innan ni anländer då öppettiderna är ganska precisa och middag serveras endast under två olika sittningar på helger.

Fat Boy's diner

Dans le Noir

Dans le Noir

BACK IN 5 MINS @ DISAPPEARING DINING CLUB

– Hemlig centraleuropeisk middagsklubb

Adress: 224 Brick Lane, bakom den mindre klädesaffären ”Ante”
Öppettider: Mån–fre: 10:00–18:00
Kostnad: tre rätter £30
Telefonnummer: +44 (0)7507 754 318
Station: Shoreditch High Street eller Liverpool Street
disappearingdiningclub.co.uk/backin5minutes/

Leta efter den lilla klädesbutiken vid namn Ante. Gå oblygt igenom klädaffären in bakom det svarta sammetsskynket längst in. Bakom denna dolda ingång finner du 1950-talsinredning med träbord och tända ljus. Här serveras en blandning av nordisk och anglosaxisk mat. På onsdagar serveras en social middag där du sitter tillsammans med andra gäster vid tre större bord för £30 inklusive en ”Grey Goose Le Fizz”-cocktail. Torsdagar, fredagar och lördagar erbjuder restaurangen en trerättersmiddag för £35. Observera att menyerna är sammansatta med ett och samma pris. Detta är ett kaninhål som passar speciellt för de där regniga dagarna, när allt man vill göra är att ta sig in någonstans där det är varmt och ombonat – och framförallt – hemligt och vällagat! Notera dock den tidiga stängningstiden – det är ju trots allt en klädaffär.

HAWKSMOOR SPITALFIELDS

– Här äter du Londons bästa Sunday Roast

Adress: 157a Commercial Street, London E1 6BJ
Öppettider: Lunch mån–lör: 12:00–14:30, sön: 12:00–16:30,
middag mån–fre: 17:00–22:30, lör: 18:00–22:30
Kostnad: Sunday Roast £19
Telefonnummer: +44 (0)20 7426 4850
Station: Shoreditch High Street
thehawksmoor.com/locations/spitalfields

Svar: Bokaffärer.

Hit går ni för att äta Englands finaste stekar och dricka cocktails. På menyn varnas för stora portioner som ofta räcker till två personer – och det är okej för köket att ni delar. Köttet tillagas på kolgrill och vinet som serveras är allt från små okända producenter till stora välkända klassiker. Restaurangen är även berömd för sina hamburgare och omtalade för sin välrenommerade Sunday Roast. Miljön är typisk engelsk med tegelväggar. Kedjan finns även på 5a Air Street (Piccadilly Circus), 10 Basinghall Street (Moorgate) och 11 Langley Street (Holborn).

Back in 5 mins

Hawksmoorspitalfields

Vilken typ av butiker är typiska för Charing Cross Road?

LMNT

– Londons mest excentriska restaurang

Adress: 316 Queensbridge Road, Hackney, London E8 3NH
Öppettider: Mån–tors: 18:00–23:00, fre–lör: 12:00–23:00, sön: 12:00–22:30
Kostnad: £11 för en varmrätt
Telefonnummer: +44 (0)20 7249 6727
Station: Dalston Junction
www.lmnt.co.uk

Ägaren till restaurangen ville skapa ett riktigt bra matställe i Hackney – ett område där prisvärda restauranger sägs vara få. Under 18 månader förvandlade han en gammal nedsliten pub till detta gästvänliga krypin. Inredningen är annorlunda, med många egyptiska inslag. I taket hänger färggranna tyger och längs väggarna står guldskimrande faraoner. De många inredningsdetaljerna som persiska mattor, målningar och hieroglyfer på väggarna samt vackra träsniderier på räcken och väggar gör detta till en varmt välkomnande restaurang. Coolast är den stora stenimitationen av någon grekisk gudomlighet, vars mun är upplyst av en lampa. Observera att en del av målningarna på väggarna är ganska vågade. Restaurangen invigdes i augusti 2000 och serverar engelsk och medelhavsinspirerad mat.

Vad heter floden som går under namnet The Isis när den flyter genom Oxford?

Svar: The Thames.

ABENO

– Japansk omelett tillagad när du ser på

Adress: 47 Museum Street, London WC1A 1LY
Öppettider: Mån–sön: 12:00–22:00, lunch vardagar: 12:00–15:00
Kostnad: lunch £13
Telefonnummer: +44 (0)20 7405 3211
Station: Tottenham Court Road Station eller Holborn
www.abeno.co.uk

Okonomiyaki är en sorts japansk omelett, med vitkål och andra varierande ingredienser. Teppanyaki heter en annan variant. Okonomiyaki kallas ibland för "Japans pizza" på grund av de många olika ingredienser som kan användas. Okonomi: det du föredrar, alltså väljer du dina favoritingredienser till omeletten. Det är fräscht och annorlunda – en ny upplevelse som du inte finner hemma i sverige.

LMNT

Abeno

THE BIG RED PIZZA BUS

– Pizza serverad i en dubbeldäckarbuss

Adress: 30 Deptford Church St, London SE8 4RZ
Öppettider: Mån: stängt, tis–ons: 16:00–23:00, tors: 16:00–24:00, fre: 16:00–02:00, lör: 12:00–02:00, sön: 12:00–23:00
Kostnad: runt £9 för en pizza
Telefonnummer: +44 (0)203 4908346
Station: Deptford Bridge (DLR)
www.bigredpizza.co.uk

The big pizza bus

Restaurangen skapades av den lokala skulptören och ägaren John Cierach som ville ge en plätt bortglömd ödemark och en avdankad buss lite kärlek. Här serveras pizza och färsk pasta. Bussen har även en bar som serverar öl, vin och cocktails.
Den röda dubbeldäckaren har numera fått en vän: en lastbil där det hålls filmvisningar. Ödetomten fylls hela tiden på med nya installationer. På sommaren sitter man ute på terrassen och på vintern serveras en speciell julmeny. Det kan vara en bra idé att boka sittplats för denna stillastående kulinariska busstur.

IMPERIAL CHINA

– China Towns bästa kinesiska restaurang

Adress: White Bear Yard, 25a Lisle Street, London WC2H 7BA
Öppettider: Mån–lör: 12:00–24:00, sön: 11:30–22:30
Kostnad: menyer från £20 per person
Telefonnummer: +44 (0)20 7734 3388
Station: Leicester Square
www.imperialchina-london.com

Imperial china

Restaurangen öppnades 1993 och är en av de största kinesiska restaurangerna i området med tre våningar och en mängd privata middagsrum. Fast du befinner dig i centrala London bjuds du in till en genuin kinesisk miljö: utanför entrén finner gästerna en fiskdamm med vackra karpfiskar. Dammen omges av steniga vattenfall. I de privata middagsrummen finns möjlighet att sjunga karaoke. Restaurangen har specialiserat sig på hummer och seafood. Paradrätterna är bland annat Roast Duck och Soy-sause chicken. Restaurangen rekommenderades även i Michelinguiden 2012.

THE TIROLER HUT

– En österrikare i London

Adress: 27 Westbourne Gr, London W2 4UA
Öppettider: Mån: stängt, tis–lör: 18:30–01:00, sön: 18:30–23:00
Kostnad: Runt £16 för en huvudrätt
Telefonnummer: +44 (0)20 7727 3981
Station: Bayswater eller Paddington
www.tirolerhut.co.uk

Vem skrev boken "Down and Out in Paris and London" från 1933?

Tiroler Hut som invigdes 1967 är fortfarande en av Londons mest framgångsrika österrikiska restauranger som kombinerar god mat och underhållning. Här bjuds gästerna in till en livlig kväll av förströelse inklusive joddlande, dragspel och den mycket originella tyrolska "Cow Bell Show". Personalen är traditionsenligt iklädda österrikiska folkdräkter. Gästerna uppmuntras att delta i underhållningen – allt enligt österrikisk gästfrihet. Allsång blir det minst en gång per kväll. Självklart serveras germansk mat som bratwurst, schnitzel, knödel, surkål och äppelstrudel.

The tiroler hut
Foto byline: Jon Santa Cruz Foto byline: Jon Santa Cruz

Svar: George Orwell.

THE ANCHOR & HOPE

– Upplev det engelska köket i förstklassig pubatmosfär

Adress: 36 The Cut, Waterloo, London SE1 8LP
Öppettider: Mån: 18:00–22:30, tis–sön:12:00–14:30, 18:00–22:30
Kostnad: Knappt £15 för en huvudrätt
Telefonnummer: +44 (0)20 7928 9898
Station: Southwark
www.twitter.com/AnchorHopeCut

Här äter du riktigt god klassisk engelsk mat till överkomliga priser. Restaurangen avdelas från puben med ett tjockt draperi. Man tar inte emot bordsbeställningar utan gästerna väntar i kö på sitt bord när man kommer dit. Anchor & Hope är mycket populärt och man kan få vänta i 45 minuter – även på en vardag – så gå dit i god tid innan magen börjar kurra. Detta är en gastropub där maten är värd dröjsmålet. Ta en öl i puben medan du ser fram emot middagen. På menyn hittar du traditionell engelsk mat med en modern europeisk tvist.

The anchor & hope

YAUATCHA

– Michelinbelönad dim sum i modernt kinesiskt tehus

Adress: 15–17 Broadwick St, London W1F 0DL
Öppettider: Mån–lör: 12:00–23:30, sön: 12:00–22:30
Kostnad: Huvudrätter från £19
Telefonnummer: +44 (0)20 7494 8888
Station: Oxford Circus eller Tottenham Court Road
www.yauatcha.com

Yauatcha har specialiserat sig på modern autentisk dim sum, wokrätter och olika smårätter. Här finns även ett stort utbud av olika indiska teer, handgjorda makroner och chokladpraliner. Gå hit om du vill uppleva en annorlunda afternoon tea eller för att äta middag. Restaurangen öppnade 2004 och redan ett år senare hade de belönats med en Michelinstjärna.

POPPIN'
GOOD

PITTORESKA PUBAR

–Ovanliga och undangömda pubar

BARTS

– Lönnkrog med vibbar från den amerikanska förbudstiden

Adress: Chelsea Cloisters, 87 Sloane Ave, Greater London
Öppettider: Mån–tors: 18:00–00:30, fre–lör: 18:00–01:30, sön: 18:00–23:00
Kostnad: Klassisk cocktail £10:50, snacks från £4.50
Telefonnummer: +44 (0)20 7581 3355
Station: South Kensington
www.barts-london.com

Vilken del av London är känd som "The Square Mile"?

Hit kommer du för en drink innan middagen och lite lätta snacks. Men först gäller det att hitta stället. Sök med blicken efter lägenhetshotellet Chelsea Cloisters och gå in där. Gå förbi receptionen, gå uppför en trappa, öppna den svarta dörren med lyktor där du kommer in i en lobby. Ring på klockan på nästa dörr och vänta på att luckan i dörren ska öppnas för att du skall bli godkänd att komma in i det allra heligaste. Väl inne möts du av en tidstypisk miljö från den amerikanska förbudstiden. Det är kitsch, det är kul med knäppa drinkar med namn efter 1920-talets stjärnor. Testa någon av Barts spännande nya drinkar med en touch av vinäger: "Queen of Tarts" eller "Twelve Years" som passar bra för dig som brukar dricka Old Fashioned. Alla som är någon kommer snart att komma in genom dörren och därför är det bra att komma i god tid för det blir fort proppfullt av glada gäster.

Svar: City: City of London.

THE SHERLOCK HOLMES

– Pub för alla Sherlockfans

Adress: 10–11 Northumberland St, London WC2N 5DB
Öppettider: Mån–tors: 11:00–23:00, fre–lör: 11:00–00:00
Kostnad: huvudrätt från £9 vin från £4.00/glaset
Telefonnummer: +44 (0)20 7930 2644
Station: Charing Cross eller Embankment station
www.sherlockholmespub.com

Sherlock Holmes pub har en bar på bottenvåningen och på övervåningen en intim, täckt takterrass och restaurang. Man har byggt upp Holmes kontor vilket kan ses genom glas från både bar och restaurang. Man påstår sig också ha det uppstoppade huvudet från Hunden från Baskerville... men det skulle kunna vara vilken byracka som helst. Här serveras förstås en ale med detektivens namn samt ett antal sandwichar, baguetter och sallader samt en engelsk restaurangmeny. Mat serveras fram till klockan 22:00 på kvällen.

Sherlock Holmes pub

B.Y.O.C. – 'BRING YOUR OWN COCKTAILS'

–Du tar med eldvattnet och bartendern blandar

Adress: Under: The Juice Club, 28 Bedfordbury Street, WC2N 4BJ
Öppettider: Mån–lör: 18:00–23:00, sön: stängt
Kostnad: £20 inträde för 2 timmar
E-mail: reservations@byoc.co.uk
Station: Leicester Square eller Cove
www.byoc.co.uk

Du hittar baren innanför en hemlig dörr bakom disken till Bedfordbury Street Juice Club. I källaren finns träbord med tända ljus, under takbjälkar och bland tegelväggarna blandar din bartender drinkar från sin antika barvagn. Baren är inspirerad av 1920-talets Amerika – vilket verkar vara ett populärt koncept i London just nu. I baren finns färskpressade grönsaks- och fruktjuicer, drinkkryddor, färska örter, hemmagjord saft och andra spännande tillbehör. Bordsreservationer för detta annorlunda upplägg görs enklast per e-mail på adressen ovan.

BALTHAZAR LONDON

– Filial till populär bar i NY

Adress: Under: 4–6 Russell St, WC2E 7BN
Öppettider: Mån–fre: 12:00–23:30, lör: 17:00–00:00, sön: 17:00–22:30
Kostnad: Cirka £19 för en varmrätt, cocktail från £10
Telefonnummerl: +44 (0)20 3301 1155
Station: Covent Garden
balthazarlondon.com

Hur många stadsdelar finns det I London?

Svar: 32 stycken, då inräknas inte City of London.

Balthazar hette den bar och restaurant som ursprungligen öppnades i New York under våren 1997. Balthazar London ligger i hörnet av Russell Street och Wellington Street i hjärtat av Covent Garden. Restaurangen erbjuder olika menyer hela dagen och ett brett utbud i baren. Menyn är inspirerad av det franska köket. Hit går många teatergäster för en drink innan eller efter en föreställning. Bredvid ligger Balthazar Boulangerie – ett bageri som serverar hembakt bröd, bakverk och sallader.

Balthazar London
Foto credit: David Loftus & Steven Joyce

Balthazar London
Foto credit: David Loftus & Steven Joyce

BOUNCE

– Bar med bordtennisbord där gästerna utmanar varandra

Adress: 121 Holborn, London EC1N 2TD

Öppettider: Mån–ons: 16:00–00:00, tors: 16:00–01:00, fre–lör: 12:00–01:00, sön: 12:00–22:00

Kostnad: bordtennis 30 min: £13:00/bord, öl från £4, cocktails från £9, vin från £3,50, barsnacks från £5

Telefonnummer: +44 (0)20 3657 6525

Station: Chancery Lane

www.bouncepingpong.com

Hit går du för att dricka drinkar och äta något litet samtidigt som du spelar bordtennis med dina vänner. Trenden att spela bordtennis i barmiljö har växt sig stor under det senaste årtiondet – kanske har vi tröttnat att sitta ned och prata strunt och vill aktivera oss med något lättsamt och roligt. Oavsett hur bra du är på att träffa bollen kommer du och dina vänner gå härifrån med stora leenden och magen fylld av pizza från den vedeldade ugnen – pizza är den perfekta maten efter en hård match ping-pong.

Big Ben känner väl alla till, men var finns Little Ben?

Svar: Korsningen av Victoria Street och Vauxhall Bridge Road.

THE MAYOR OF SCAREDY CAT TOWN

– Upplev det engelska köket i förstklassig pubatmosfär

Adress: Under: The Breakfast Club i Spitalfields: 12–16 Artillery Lane, London E1 7LS, Aldgate
Öppettider: Mån–tors: 17:00–24:00, fre–lör: 12:00–24:00, sön: 12:00–22:30
Kostnad: drinkar £9, snacks £2–7, burgare £10
Telefonnummer: +44 (0)20 7078 9639
Station: Liverpool Street
www.themayorofscaredycattown.com

För att få komma in i den hemliga baren ska du leta reda på en kille som heter Henri: knacka dig på sidan av näsan och be att få tala med "the mayor". Då detta är sagt och gjort öppnas en kylskåpsdörr vilket är entrén till baren i källaren. Du möts av en dunkelt belyst cocktailbar med exponerade tegelväggar och mörkt trä. Stället påminner lite om Twin Peaks med djurhuvuden på väggen, en klocka med ögon och en skylt med förbud mot osedligheter. Platsen har blivit så hypad att den knappt är särskilt hemlig längre, så se till att boka bord eller vara där i god tid.

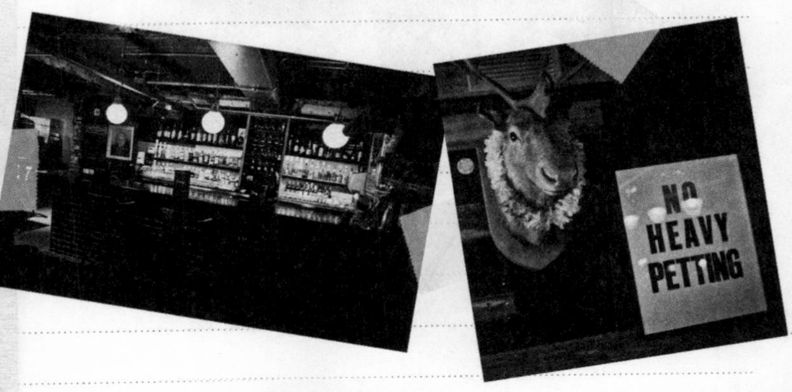

CALLOOH CALLAY

–Välkommen in i garderoben

Adress: 65 Rivington Street, London, EC2A 3AY

Öppettider: Sön–ons: 18:00–24:00, tors–lör: 18:00–01:00

Kostnad: drinkar £11, vin och öl från £5

Telefonnummerl: +44 (0)20 7739 4781

Station: Old Street

www.calloohcallaybar.com

Vilken av Londons tunnelbanestationer bör ligga Pernilla Wahlgren särskilt nära om hjärtat?

Callooh Callay betraktas ofta som en av Shoreditchs bästa cocktailbarer. Här möts du av ett dignande utbud av drinkar – menyn skiftar ständigt. På ovanvåningen – i Upstairs Bar – byts även interiören ut var sjätte vecka. I skrivande stund är baren en klassisk godisbutik. När du är här ska du framförallt besöka den dolda baren för medlemmar. Bli medlem, det är gratis på hemsidan och kliv sedan in i dörröppningen som liknar garderoben i Narnia.

Callooh callay

Callooh callay

Svar: Piccadilly Circus eftersom hon skrev en låt om den.

THE SHIP

Adress: 11 Talbot Court, City of London, London EC3V 0BP
Öppettider: Mån–fre: 10:00–23:00, lör: 11:00–17:00, sön: stängt
Kostnad: Ett glas vin från £3.20, varmrätter omkring £15
Telefonnummerl: +44 (0)20 7929 3903
Station: Monument
www.nicholsonspubs.co.uk

The Ship ligger en kort bit från tunnelbanestationen Monument – och det är ett ställe för sig. Puben är traditionellt engelsk men med en unik karaktär och ett särskilt stort utbud av real ale och genuina engelska maträtter. Barens historia är lång: The Ship ligger på samma plats som där gästgiveriet The Talbot tidigare låg. Gästgiveriet brann ned i den stora branden 1666 och då man byggde nytt döptes den nya byggnaden istället till The Ship, framförallt för att så många hamnarbetare gick hit. Vill du ha en drink istället för öl ska du absolut testa The Ships traditionella Pimm's – en läskande engelsk drink som upplevs bäst här.

BAR KICK

– Fotbollsbar för all världens supporter

Adress: 127 Shoreditch High St, London E1 6JE
Öppettider: Mån: stängt, tis–ons: 12:00–23:00, tors: 12:00–00:00,
fre–lör: 12:00–01:00, sön: 12:00–22:30
Kostnad: Happy hour varje dag 16–19: husets öl £2, drink £4,85
Telefonnummerl: +44 (0)20 7739 8700
Station:Shoreditch High Street eller Hoxton
www.cafekick.co.uk

Bar Kick växte fram ur en av Shoreditch High Streets många skoaffärer. Först öppnades ett café hösten 2001 med kala väggar och starkt ljus. Numera är belysningen mer nedtonad och väggarna och taket har fyllts av flaggor och allehanda fotbollssymboler som kunderna har tagit med sig. De är mest kända för sitt bordfotbollsspel och även för att de är ett bra ställe om man vill se fotbollsmatcher live.

THE PRINCE ALBERT @ CAMDEN

– Din nya kvarterskrog med klass

Adress: 163 Royal College St, London NW1 0SG
Öppettider: Mån–lör: 12:00–23:00, sön: 12:00–22:30
Kostnad: varmrätt ca £11, öl £4
Telefonnummerl: +44 (0)20 7485 0270
Station: Camden Road Overground Station/Camden Town
princealbertcamden.com

Prince Albert har funnits sedan 1843, men 2007 tog puben en ny modern gastronomisk inriktning som högklassig restaurang och traditionell pub. På övervåningen serveras mat från à la carte-menyn och på nedervåningen och på utomhusterrassen barsnacks och dryck. Söndagar pubquiz klockan 20:00.

The prince Albert @ Camden

Vad heter chips på engelska?

Svar: Crisps, inte chips.

EVANS & PEEL DETECTIVE AGENCY | EARL'S COURT BAR

– Lönnbar i form av detektivbyrå

Adress: 310c Earls Court Road, West London
Öppettider: Mån: stängt, tis–ons & lör–sön: 17:00–00:00, tors–fre: 17:00–00:30
Kostnad: cocktails från £10
Telefonnummerl: +44 (0)20 7373 3573
Station: Earl's Court
www.evansandpeel.com

Detta är en fascinerande upplevelse som du inte gärna vill missa när du är i London. Först måste du göra en anmälan per e-mail och du kommer att märka att man håller strikt på att detta är en verklig detektivbyrå från 1920-talet. Det känns lite som att gå in i spelet Cluedo – från en bakgata med en ganska oansenlig entré. Du ska också förbereda en story (ett eget fall som passar en detektiv) för att få tillträde till baren som ligger dold bakom en bokhylla. När du blivit insläppt gör du rätt i att testa ett par av deras cocktails som trots ganska väl tilltaget pris är riktigt goda – men starka!

Evans & Peel detective agency

OPIUM COCKTAIL & DIM SUM PARLOUR

Adress: 15–16 Gerrard St, London W1D 6JA
Öppettider: Mån–tis + sön: 17:00–24:00, ons: 17:00–01:00,
tors: 17:00–02:00, fre–lör: 17:00–03:00
Kostnad: cocktails från £11
Telefonnummerl: +44 (0)20 7734 7276
Station: Leicester Square
www.opiumchinatown.com

När du flanerar längs Gerrard Street kommer du inte se entrén till Opium bar utan snarare förstå var den ligger på grund av vakten med öronsnäcka som står framför den diskreta porten. Detta vattenhål serverar välsmakande cocktails med extraordinära ingredienser – och ibland torris! – du aldrig trodde skulle kunna blandas i en drink. Alla gästerna samlas vid ett stort bord i mitten av rummet och bartendern kommer till dig och blandar drinken framför dina ögon. Gör en bokning i förväg då vakten kommer att fråga efter din reservation redan vid entrén. Se till att besöka alla våningarna i denna cocktailbar då de alla har sin egen charm.

THE KING OF LADIES MAN | BATTERSEA

Adress: På: The Breakfast Club, 5–9 Battersea Rise, South West London
Öppettider: Mån–ons: 17:00–00:00, tors–fre: 17:00–01:00, lör: 15:00–01:00,
sön: 15:00–22:30
Kostnad: barmenyrätter £7.00, disco drinks£8
Telefonnummerl: +44 (0)2070789631
Station: Clapham Junction
www.thekingofladiesman.com

Det välkända klocktornet i centrala London är ju mest känd som Big Ben, men vad heter tornet egentligen?

Svar: The Clock Tower.

I ett guldgult paradis från 1970-talet sitter du bland skyltdockor och rosa plastflamingos. Du dricker paraplydrinkar på bekväma skinnstolar runt sociala barbord. För att finna den hemliga ingången måste du först smyga dig in genom skjutdörren i tvättstugan till en annan tid. Uppmärksamma bartenders i hawaiiskjortor serverar dig gärna paraddrinken Mr Miyagi som är fantastiskt populär. Håll ögonen öppna så att du inte missar den färgglada penisen i fönstret. Barens namn kommer från serien Cheers: ”Lock up your daughters cos ’The King of Ladies Man’ is in town”.

ACES & EIGHTS

– Rock n'rollbar för alla rockers

Adress: 156–158 Fortess Road, Tufnell Park, London, NW5 2HP
Öppettider: Sön–tors: 16:00–01:00, fre–lör: 16:00–03:00
Kostnad: Pizza £8
Telefonnummerl: +44 (0)207 4854033
Station: Tufnell Park
www.acesandeightssaloonbar.com

Utanför baren finns en skylt med de tre magiska orden: "Liquor. Rock. Pizza.". Allt du behöver och lite till. Miljön är inspirerad av 1950-talet och väggarna pryds av lättklädda kvinnor ur herrtidningar och annan... konst. På tisdagar anordnar man pubquiz, på torsdagar är det livemusik som gäller och under helgen spelar dj:n musik fram till klockan 03 på nätterna. Till den stora variationen av cocktails och ölsorter serveras pizza till den som blir hungrig – levererad direkt till ditt bås. Som grädde på moset ligger tunnelbanan nära när du valsar hem efter en helkväll.

EXPERIMENTAL COCKTAIL CLUB, CHINA TOWN

– Bäst cocktails i London

Adress: P13a Gerrard St, Chinatown, London W1D 5PS
Öppettider: Mån–lör: 18:00–03:00, sön: 18:00–00:00
Kostnad: £5 inträde efter klockan 23:00
Telefonnummerl: +44 (0)20 7434 3559
Station: Leicester Square
www.chinatownecc.com

I vilken stadsdel utförde Jack the Ripper sina bestialiska mord?

Aces & Eighrts

Experimental cocktail club
Foto byline: ©SIMONA BELOTTI

CELLARDOOR

– Jazzbar och kabaré

Adress: 0 Aldwych, London WC2E 7DN

Öppettider: Mån–fre:16:00–01:00, lör–sön: 14:00–17:00, 18:00–01:00

Kostnad: cocktail £9, öl £5

Telefonnummerl: +44 (0)20 7240 8848

Station: Temple

www.cellardoor.biz

Vilken är den mest besökta tunnelbanestationen i London?

Här under marken möts 1930-talets Berlin och New Yorks hemliga värld. Du bjuds på en kväll av liveframträdanden och musik. Här finns Storbritanniens första SMS-jukebox. Varje kväll vid 21:00 är det live-uppträdanden. Inträdet är fritt men för en summa av £10 är du försäkrad en plats och en drink. Innan 20:00 är drinkarna 30 procent billigare.

Svar: Waterloo med 80 miljoner passagerare/år.

PORTSIDE PARLOUR, LONDON FIELDS

– Piratbar dold bakom en toalett

Adress: 63–65 Broadway Market, London Fields, Basement Bar under "Off Broadway"
Öppettider: Tis–fre & sön: 18:00–24:00, lör: 17:00–01:00
Telefonnummerl: +44 (0)203 6626 381
Station: Haggerston eller London Fields
www.portsideparlour.co.uk

Välkommen till en av Londons bästa rombarer. Med en inredning som för tankarna till en piratgömma kan du sola dig i de levande ljusens sken. Sätt dig vid ett av de slitna långborden av trä eller varför inte slå dig ned i skinnsoffan och låta din cocktail vila på skattkistan framför dig? Om somrarna har denna pub även en kubansk uteservering på Netil House Market, 13–23 Westgate Street, E8 3RL som är värd ett besök.

NIGHTJAR

– Jazz, livespelande pianist och världsberömda cocktails i underjorden

Adress: 129 City Road, London EC1V 1JB, Hoxton
Öppettider: Sön–ons: 18:00–01:00, tors: 18:00–02:00, fre–lör: 18:00–03:00
Kostnad: barsnacks £3,50, tapas £8, cocktail £10
Telefonnummerl: +44 (0)20 7253 4101
Station: Old Street
www.barnightjar.com

Nightjar ligger på topplistan över världens tio bästa cocktailbarer och de gör skäl för utmärkelsen. Exotiska ingredienser, rykande torris och olika glas samt tillbehör till varje drink gör bartendern till en sann konstnär. Drinkarna är uppdelade efter tidsperiod: före förbudstiden, efterkrigstiden och så vidare. Interiören går i samma tidsanda. Mycket trä, skinnsoffor längs väggarna och dunkelt ljus från vägglampor och levande ljus. I bakgrunden spelas lågmäld jazzmusik. Vill du gå hit – och det vill du – bör du göra en bordsreservation i god tid.

Vad heter fotbollsklubben Arsenals hemarena?

NIGHTJAR

Svar: Emirates stadium. Tidigare hade de sin hemarena på Highbury Park.

Foto byline:
Max Oppenheim & Dan Malpass

BLACK FRIAR

– Pub i katedrallik lokal

Adress: 174 Queen Victoria St, London EC4V 4EG
Öppettider: Mån–lör: 10:00–23:00, sön: 10:00–22:30
Kostnad: hamburgare £10, paraddrinkar £5
Telefonnummerl: +44 (0)20 7236 5474
Station: Blackfriars eller St. Pauls
www.nicholsonspubs.co.uk/theblackfriarblackfriarslondon

I ett avsmalnande hus bredvid tågspåret i Blackfriars hittar du denna pub från 1875. Interiören är från tidigt 1900-talmed glasmosaik, väggarna är täckta av trädekor och skulpturer av munkar som spelar instrument, plockar frukt eller... ja en av dem kokar ett ägg. På olika skyltar står fantastiska visdomsord som "Haste is slow" och "Wisdom is rare". Det känns lite som att komma in i en kyrka i form av en ost. I marmorbaren väljer du mellan en mängd goda ölsorter och vill du prova maten är pajerna något av deras specialitet. Dock kan det vara svårt att få ett drop-in bord kring lunch- och middagstid då maten är mycket populär.

ABSINTHE BAR @ BROMPTON BAR & GRILL

– Absintbar för oss förtappade

Adress: 234 Brompton Road, Knightsbridge, London SW3 2EP
Öppettider: Mån–fre: 12:00–15:00, 18:00–22:30, lör: 12:00–15:30, 18:00–22:30, sön: 12:00–15:30, 18:00–22:00
Kostnad: cocktail £9, trerättersmiddag £22:50
Telefonnummerl: +44 (0)20 7589 8005
Station: South Kensington
bromptonbarandgrill.com

För vilket brott 1666 blev Robert Hubert dömd till döden?

Svar: För att ha startat Great Fire of London.

"Absinthe makes you crazy and criminal, provokes epilepsy and tuberculosis, and has killed thousands of French people. It makes a ferocious beast of man, a martyr of woman, and a degenerate of the infant, it disorganizes and ruins the family and menaces the future of the country." – Okänd tvivlare

Behöver vi säga någonting mer? På Absinthe Bar serveras fantasifulla absintdrinkar av alla de slag med namn som Death in the afternoon eller Absinthe Butterfly.

HAPPINESS FORGETS

Adress: 8–9 Hoxton Square, London N1 6NU
Öppettider: Mån–sön: 17:30–23:00
Kostnad: cocktails från £8.50, champagne cocktails £9.50
Telefonnummerl: +44 (0)20 7613 0325
Station: Hoxton
www.happinessforgets.com

Denna bar har kanske Londons trevligaste personal. I samma stund som du kommer innanför dörren vet du att du kommer bli omhändertagen på bästa vis. De serverar ett fåtal cocktails men dessa gör de helt perfekt. Till de riktiga stjärnskotten hör framförallt Perfect Storm men även Mr McRae och Tokyo Collins. De serverar inte någon mat så kom hit mätt – men törstig. Notera den något tidiga stängningstiden.

BELOWZERO RESTAURANT & LOUNGE

– En isande upplevelse som botar hemlängtan

I vilken park kan du hitta en staty av Peter Pan?

Adress: 31–33 Heddon St, London W1B 4BN

Öppettider: Mån–tors: 15:30–22:15, fre: 14:45–23:45,
lör: 11:45–00:30, sön: 14:00–22:15

Kostnad: £14 (£13 om du bokar i förhand) för 40 minuter i isbaren

Telefonnummerl: +44 (0)20 7478 8910

Station: Oxford Circus eller Piccadilly Circus

www.belowzerolondon.com

Om du ännu inte besökt en isbar i Sverige kan du lika gärna göra det i London. Isen är ändå svensk och kommer från Torne älv i Jukkasjärvi. Allt i baren är gjort av is: väggar, bord, stolar och till och med glasen som drinkarna serveras i. Ta med dig en varm tröja för temperaturen i baren är – 5° C. Särskilda filtar finns att tillgå. Du besöker baren i 40 minuter per bokning och tar en drink, det är alltså en tidsbegränsad upplevelse, men tiden räcker gott och väl. Eftersom antalet gäster är begränsat kan du få vänta en längre stund på att få komma in (omkring en timme) om du inte bokar i förväg. Olika konstnärer och designers skapar ett nytt tema varje höst med hjälp av ismejslar och motorsågar. Isbarer har varit på agendan ett tag nu, det är dags att uppleva dem innan de smälter bort för evigt.

Svar: Kensington Gardens.

BAR AMÉRICAIN

– Art decobar i amerikansk stil under Förbudstiden

Adress: 20 Sherwood Street, London W1F 7ED
Öppettider: Mån–ons: 16:30–00:00, tors–lör: 16:30–01:00, sön: 16:30–23:00
Kostnad: cocktail£10, öl £6
Telefonnummerl: +44 (0)20 7734 4888
Station: Piccadilly Circus
www.brasseriezedel.com/bar-americain

Du hittar trappan ned till baren i bakre delen av Brasserie Zedel. Atmosfären är lågmäld och sofistikerad, rummet svagt upplyst och mörka träpaneler och ljuslagd bar. Väggarna är fyllda av tavlor med olika motiv från 1920-talet. Här sitter du runt runda bord i bekväma tygfåtöljer. Det finns ingen direkt klädkod men skippa shorts och keps när du går hit. Drinklistan är kortfattad men smakar desto bättre. Signaturdrinkar värda att testa är Spritz Americain, Parisian Summer och Metropolis.

Vad heter byggnaden som huserar Tate Modern?

Svar: Bankside Power Station.

LITTLE NAN'S

– Nallebjörnsbefolkat vardagsrum

Adress: På Bunker Club: 46 Deptford Broadway, Deptford, Greenwich, London, SE8 4PH
Öppettider: Tors–lör: 17:00–23:00, övriga dagar: öppet endast för bokning av hela baren
Kostnad: öl eller ett glas vin från £3
Telefonnummerl: +44 (0)7792 205 375
Station: Deptford Bridge/New Cross
www.littlenans.co.uk

Little Nan's är en nyöppnad bar och tesalong i form av ett hemtrevligt och hemligt vardagsrum. Innanför röda sammetsdraperier och engelska tegelväggar slår ni er ned i mysiga soffgrupper bland gäster och nallebjörnar. Hit går man för afternoon tea (£12 för en tekanna, £4 för en kopp) eller drinkar till bra priser. Testa gärna hallon- eller chokladöl eller deras specialdryck "Little Nans Hot Sweet Mulled Apple Juice" som är gjord på ett 100-årigt recept med varm rom.

PURPLE BAR AT SANDERSON

– 'Start wearing purple' i denna hellila bar

Adress: På: Sanderson, 50 Berners Street, Fitzrovia, London, W1T 3NG
Öppettider: 18:00–SENT
Kostnad: cocktail £14
Telefonnummerl: +44 (0)20 7300 5588
Station: Oxford Circus
www.sandersonlondon.com

Denna bar har ett genomgående tema där allt går i olika nyanser av lila, violett och lavendel. Lila operadraperier täcker väggarna och blålila belysning gör detta till en lilaskimrande grotta med stenväggar och sköna sammetssoffor som ger en sagolik stämning. Baren är känd för sina välsmakande Martinidrinkar. Baren serverar också en av Londons dyraste drinkar vid namn "The Proposal" – med drinken medföljer en autentisk diamantring. Bordsreservation nödvändig för icke medlemmar.
Ålder 21+. Vi föreslår att ni drar på er en lila outfit när ni går hit.

COAL HOLE

– Vattenhål mitt i teaterkvarteren

Adress: 91–92 Strand, London WC2R 0DW
Öppettider: Mån–tors & sön: 10:00–23:00, fre–lör: 10:00–00:00
Kostnad: varmrätt £10, vin £5.50/glas, öl från £6
Telefonnummerl: +44 (0)20 7379 9883
Station: Embankment eller Covent Garden
www.nicholsonspubs.co.uk/thecoalholestrandlondon/

Vilket är Londons äldsta fotbollslag i Premier League?

Svar: Fulham F.C.

Schackrutiga golv, högt tak med mörka träbjälkar, stenväggar med statyer från antiken och en gammal klassisk bar i mörkt trä gör denna typiskt engelska bar från 1904 till ett vattenhål för Londons urbefolkning. I ett hörn står en öppen spis dekorerad med vinrankor. Detta var tidigare den bar dit kolarna gick för att ta sig en öl efter en hård arbetsdag. Besök baren när du vill gå till en verkligt brittisk bar med lång historia och tala med riktiga Londoners.

LAMB & FLAG

– Tidigare Fight Club men numera snällt som ett lamm

Adress: 33 Rose St, London WC2E 9EB
Öppettider: mån–lör: 11:00–23:30, sön: 12:00–22:30
Kostnad: varmrätt £10, öl ca £5
Telefonnummerl: +44 (0)20 7497 9504
Station: Covent Garden/Leicester Square
lambandflagcoventgarden.co.uk

Vill du vara säker på att besöka en riktigt genuin brittisk pub är The Lamb & Flag the place to go. Tegelbyggnaden som puben ligger i restes 1638. I gränden utanför puben blev poeten John Dryden (en av de största poeterna inom den engelska klassicismen) attackerad av ligister 1679. Under det tidigare 1800-talet var denna pub ökänd för sina slagsmål och platsen kallades då för ”The Bucket of Blood”, numera är stämningen vänligare ... Så 'no worries'.

EARLAM STREET CLUBHOUSE

Adress: 35 Earlham St, London, WC2H 9LDÖppettider: 18:00–SENT
Öppettider: Mån–lör: 12:00–00:00, sön: 12:00–23:30
Kostnad: Cocktails £7,50, pizzaslice £3,50, hel pizza från £10
Telefonnummerl: +44 (0)20 7240 5142
Station: Covent Garden
www.esclubhouse.com

Detta är en helt nyöppnad restaurang som slog upp dörrarna i november 2013 men som redan hunnit bli rikligt omtalad och hyllad. Maten ger en känsla för den amerikanska östkustens studentliv. Här blandas klassiskt klubbhus med glamouren från en amerikansk strandpromenad. Ölen serveras från en begagnad – och noggrant rengjord – bensinpump direkt vid bordet. På drinklistan finns en mängd amerikanska klassiker med en ny tvist. Till dryckerna serveras pizza New York style – vilket innebär tunna pizzabottnar. Musiken väljer gästerna själva genom en dj-app på sin smartphone.

YE OLDE MITRE TAVERN

– Braveheart, engelska "tapas" och ölprovning

Adress: Ely Court, Hatton Garden, Holborn, London EC1N 6SJ
Öppettider: Mån–fre: 11:00–23:00, lör–sön: stängt
Kostnad: barsnacks £2, öl från £5
Telefonnummerl: +44 (0)20 7405 4751
Station: Farringdon eller Chancery Lane
yeoldemitreholborn.co.uk

Vad menar man om man säger "I'm Off to Bedfordshire"?

Svar: Att man ska gå till sängs.

De är kända för sina hemmagjorda barsnacks och engelska "tapas" som fläskpaj, Scotch eggs, sausage rolls och toast (men inga pommes frites!) mellan 11:30–21:00. Deras signaturöler är prisbelönta Bengal Lancer och London Pride. De byter ut alen kontinuerligt för att man ska kunna testa ett stort utbud av inhemska öler. Byggnaden uppfördes redan 1546 och är framförallt känd för körsbärsträdet på framsidan, runt vilket det sägs att drottning Elizabeth en gång dansade med Sir Christopher Hatton. Puben ligger även nära platsen där William Wallace (personifierad i filmen Braveheart) hängdes. Deras slogan är: "Real Pubs Sell Real Ales" och de lever upp till det.

BAR STORY

– Billigt studenthak med karaktär

Adress: 213 Blenheim Grove, London SE15 4QL
Öppettider: Mån–lör: 16:00–22:00, sön: 16:00–21:00
Kostnad: £6 för en öl
Telefonnummerl: +44 (0)20 7635 6643
Station: Peckham Rye
www.barstory.co.uk

Det är inte det lättaste att hitta hit, men leta i valven kring stationen Peckham Rye – du behöver inte gå längre än att du kan höra tågen mullra ovanför ditt huvud. Nära till hands ligger också Sassoon Gallery om du vill uppleva modern konst innan besöket. Atmosfären på Bar Story är avslappnad och ölen någorlunda billig, mellan £5–6. Mellan 18:00–19:00 är det happy hour. Till ölen serveras pizzaslices där du väljer pålägget själv.

THE COCKPIT @ BLACKFRIARS

– Braveheart, engelska tapas och ölprovning

Adress: 7 St. Andrew's Hill, Blackfriars, London EC4V 5BY
Öppettider: Mån–lör: 11:00–23:00, sön: 12:00–22:30
Kostnad: Öl från £3.80
Telefonnummerl: +44 (0)20 7248 7315
Station: Blackfriars eller St. Pauls

Vänlig kvarterskrog placerad på en före detta tuppfäktningsarena – därav namnet. Klassisk engelsk inredning: röda sammetssoffor, mörka träbord och många trädetaljer samt heltäckningsmatta ger en varm och välkomnade atmosfär – nästan som en engelsmans eget vardagsrum. Här dricker du öl, ser på teve och umgås med londonborna på ett genuint sätt. I närheten ligger St. Pauls-katedralen som är värt ett besök om du är i krokarna. I matväg finns ett antal barsnacks, men kanske går du inte hit när du är riktigt hungrig.

THE HIPPODROME CASINO

– 24-timmars kasino mitt på Leicester Square

Adress: Leicester Square, London WC2H 7JH
Öppettider: alltid
Kostnad: varmrätt £11, barsnacks £7, cocktail £9
Telefonnummerl: +44 (0)207 769 8888
Station: Leicester Square
www.hippodromecasino.com

Lagen London Towers, Greater London Leopards, London United och London Capital spelar alla i samma sport, vilken är sporten?

Svar: Basket.

Precis som Leicester Square, där kasinot är beläget, är det fem våningar höga Hippodroew York – Hippodrome är stället som aldrig sover.

Just a nice drink...

OSYNLIGA OASER

– När du vill vara dig själv för en stund

KENSINGTON ROOF GARDENS

– Flanera med flamingos

Adress: 99 Kensington High St, London W8 5SA
Öppettider: mån–tors: 12:00–00:00, fre–lör: 12:00–03:00, sön: 12:00–18:00
Kostnad: Gratis
Telefonnummer: +44 (0)20 7937 7994
Station: High Street Kensington
www.roofgardens.virgin.com

Kensington Roof Gardens består av tre imponerande tematrädgårdar: Spanish Garden, Tudor Garden, English Woodland. I trädgårdarna finns hundraåriga ekar, dammar fyllda med fisk och djurliv – samt fyra flamingos. Efter att du strosat i trädgårdarna kan du äta en måltid i restaurangen Babylon eller ta en välsmakande drink på terrassen. Även om trädgårdarna är gratis att besöka är det bra om du ringer i förväg eftersom de ofta är bokade för privata evenemang.

THE BOAT HOUSE @ HYDE PARK

– Hyr en rodd- eller trampbåt i Hyde Park

Adress: Serpentine Road, Hyde Park, London W2 2UH
Öppettider: Mån–sön: 10:00–20:00
Kostnad: Vuxen: £12 för 1 timmes båtfärd, £29/familjepris 1 timme
Telefonnummer: +44 (0)207 262 1330
Station: Knightsbridge eller Hyde Park Corner
www.solarshuttle.co.uk

På vilken station i London befinner sig Harry Potter när han stiger på tåget på plattform 9¾?

Svar: King's Cross Station.

En båttur är perfekt för lugna avslappnade dagar i någon av Londons många vackra parker. Hyde Park är ett givet mål för många turister men varför inte uppleva parken från vattnet? En utflykt med båt är något de flesta uppskattar en solig dag i London. Du kan även hyra båtar i andra parker, ovanstående företag har filialer i Battersea park, Alexandra Palace och Greenwich park.

Kensington Roof Gardens

Kensington Roof Gardens

ST. MARY'S SECRET GARDEN

Adress: 50 Pearson Street, London E2 8EL
Öppettider: Mån–fre 9:00–17:00, lör–sön: stängt
Kostnad: Gratis
Telefonnummer: +44 (0)20 7739 2965
Station: Hoxton
www.stmaryssecretgarden.org.uk

Denna hemliga gröna oas i Hackney består av naturskog, en örtagård, fruktträdgård och grönsaksodlingar. De som bor intill parken får en nyckel dit, men turister kan besöka den gratis på vardagar. Här odlar man ekologiskt och uppmuntrar djurlivet och den biologiska mångfalden i trädgården. Varje år ordnas en blomsterutställning vid namn "The Flower Show".

ISABELLA PLANTATION @ RICHMOND PARK

Adress: Kingston upon Thames, Greater London KT2 7NA
Öppettider: varje dag 07:30–16:00
Kostnad: Gratis med guide
Telefonnummer: +44 (0)300 061 2200
Station: Richmond
www.royalparks.org.uk/parks/richmond-park

Richmond Park är ett stort naturreservat uppdelat i flera olika områden som är värda att besöka när du väl tagit dig hit. Isabella Plantation är en dekorativ skogsträdgård, full av exotiska växter – utformad för att vara intressant året om. Trädgården är ekologisk och erbjuder en god livsmiljö för vilda djur.

London blev Englands huvudstad på 1300-talet.
Vad hette huvudstaden fram till dess?

Svar: Winchester.

WIMBLEDON VILLAGE STABLES

Adress: 24 a/b High St, London SW19 5DX
Öppettider: Tis–fre: med start 9:00, 10:15, 11:30, 14:00
Kostnad: Vuxen: £60 en timmes ritt i grupp, £85 privat ridlektion
Telefonnummer: +44 (0)20 8946 8579
Station: Wimbledon
www.wvstables.com

På Wimbledon Village Stables kan du hyra en häst för en ridtur – oavsett tidigare erfarenhet av hästar – i Wimbledon Common. Under en tvåtimmarsritt hinner ni även in i Richmond Park. Självklart kräver en sådan utflykt en del planering och bokning på hemsidan i god tid. Anländ minst 20 minuter före ett ridpass. Kontrollera även hemsidan för ridkläder och för att fylla i din tidigare erfarenhet av hästar och ridning.

KYOTO GARDEN @ HOLLAND PARK

Adress: Muswell Hill Road, London, N10 3JP
Öppettider: Mån–fre 9:00–17:00, lör–sön: stängt
Kostnad: Gratis
Station: Highgate
www.fqw.org.uk

Vad har Paul McCartney på fötterna på skivomslaget till "Abbey Road"?

Queen's Wood är ett vackert naturreservat i Muswell Hill.
Queen's Woods var ursprungligen en del av urskogen Forest of Middlesex som täckte nästan hela Londons yta innan staden började breda ut sig. Skogen är ungefär 21 hektar och erbjuder sina besökare en avspänd promenad mitt i den omgivande urbana miljön. Efter promenaden kan den törstige ta sig en juice eller en kopp te på Queen's Wood Café.

GARDEN MUSEUM

Adress: 5 Lambeth Palace Road, London SE1 7LB
Öppettider: Mån–fre & sön: 10:30–17:00, lör: 10:30–16:00
Kostnad: £7.50 vuxen, £3 student
Telefonnummer: +44 (0)20 7401 8865
Station: Lambeth North eller Vauxhall
www.gardenmuseum.org.uk

Garden Museum öppnades 1977 för att rädda den urtida kyrkan St. Marys från rivning. John Tradescant var en av Storbritanniens första framstående trädgårdsmästare och han ligger begravd vid kyrkan där även museet nu alltså är beläget. I museét hyllas trädgårdsmästare och man har även flera olika konstutställningar varje år. I museéts trädgård finns en mängd av de växter som Tradescant infört i landet, bland annat rosenböna, röd lönn och tulpanträd.

Svar: Han är barfota.

FENTON HOUSE, HAMPSTEAD

Adress: Hampstead Grove, London NW3 6SP
Öppettider: Mån–tis: stängt, ons–sön: 11:00–17:00
Kostnad: : £6.50 vuxen/£3 barn (Fenton House + trädgård), £2 endast trädgård
Telefonnummer: +44 (0)20 7435 3471
Station: Hampstead
www.nationaltrust.org.uk/fenton-house

Detta stiliga köpmanshus från 1800-talet är en dold pärla i London, en plats med unik karaktär och charm. I Fenton House finns samlingar av dekorativt porslin, georgianska möbler, handarbeten och målningar. Efter ett besök i huset rekommenderar vi att ni tar en runda i trädgården. Innanför dess murar finns en 300 år gammal orkidé- och köksträdgård, en historisk rosenträdgård och en fantastisk utsikt över Hampstead Heath.

Kyoto Garden

Garden Museum

ST. DUNSTAN IN THE EAST CHURCH GARDEN

– Dramatisk kyrkoruin täckt av klätterväxter

Adress: St. Dunstan's Hill, London, Greater London, England, EC4
Öppettider: Alla dagar: 8:00–19:00 (eller vid solnedgången om den sker tidigare)
Kostnad: : Gratis
Telefonnummer: +44 (0)20 7435 3471
Station: Monument eller Tower Hill

Var i London kan du hitta världens första skulptur av en dinosaurie?

Få trädgårdar är mer dramatiska än den som har skapats kring kyrkoruinen St. Dunstan in the East. Kyrkan reducerades till ett tomt skal efter att ha blivit sönderbombat under andra världskriget. I dag är ruinerna täckta av grönska á la Sagan om ringen. Platsen är sagolikt vacker med de gamla kyrkoväggarna som omringar ett antal parkbänkar. Hit kommer många för att äta sin lunch och det har blivit populärt att hålla sitt bröllop här. Ruinen är en oas mitt i centrala London och är perfekt för dig som hellre tar en selfie till Instagram i en spännande miljö än ger dig ut i de större parkerna för en heldag i leriga vandrarkängor.

Svar: Crystal Palace Park.

BARBICAN CENTRE'S CONSERVATORY

– Underbar tropisk oas mitt i city

Adress: Silk St, London EC2Y 8DS
Öppettider: Alla dagar: 11:00–17:00
Kostnad: : Gratis
Telefonnummer: +44 (0)20 7638 4141
Station: Barbican eller Moorgate
www.barbican.org.uk

The Barbican är Europas största kultur- och konferensanläggning som erbjuder ett varierat utbud av konst, musik, teater, dans, film och kulturella evenemang. London Symphony Orchestra har också sin hemmascen där. I hjärtat av centret ligger The Barbican conservatory – Londons näst största vinterträdgård. Det är en otrolig tropisk oas gömd inuti centret. Här finns en mängd fåglar, exotiska fiskar och över 2 000 arter av tropiska växter och träd.

© Lee Mawdsley

VAUXHALL'S PLEASURE GARDENS

Adress: Tyers Street, SE11 5HL

Öppettider: öppnar 07:30 varje dag, stängning olika månad för månad, cirka 16:00, sommartid: 20:00

Kostnad: Gratis

Telefonnummer: +44 (0)20 7926 9000

Station: Elephant & Castle eller Lambeth North

www.tibet-foundation.org/page/peace_garden

Tibetan Peace Garden ligger intill Imperial War Museum. Det öppnade i maj 1999 och invigdes av Dalai Lama. Trädgården har donerats till det brittiska folket och ska verka för att skapa förståelse mellan olika kulturer och för att upprätta platser för fred och harmoni i världen. Samtidigt syftar också trädgården till att skapa en större medvetenhet om den buddhistiska kulturen. Fyra västerländska statyer märker ut väderstrecken, det finns platser för meditation och trädgården är fylld med örter och olika tibetanska växter och skulpturer. Det är en rofylld plats för reflektion och för eftermiddagar fria från stress.

KING HENRY'S WALK

– Besök en engelsk koloniträdgård

Adress: 11c King Henry's Walk, London N1 4NX

Öppettider: Lör: 12:00–16:00, maj–september även sön: 12:00–16:00

Kostnad: Gratis

Telefonnummer: +44 (0)20 7923 9035

Station: Canonbury, Dalston Kingsland eller Dalston Junction

www.khwgarden.org.uk

Vad hette den förskräcklige barberaren från Fleet Street?

Svar: Sweeny Todd.

Detta är en trädgård med kolonilotter för boende i området. Under lördagar är trädgården öppen för allmänheten. Förutom en blomstrande ekologisk frukt- och grönsaksträdgård här finns fantastiska välvårdade rabatter i lantlig miljö. Medlemmarna anordnar en mängd aktiviteter, bland annat vinprovning, en teklubb, och samtal om allt från medicinalväxter till glasstillverkning.

ROYAL BOTANIC GARDENS, KEW

– Botanisk trädgård i Richmond

© RBG Kew

Adress: Kew, Richmond, London, Surrey TW9 3AB
Öppettider: Varje dag: 9:30–18:00 (stängning vintertid 16.15)
Kostnad: Vuxen: £16, Student: £14, Barn under 16 år: gratis
Telefonnummer: +44 (0)20 8332 5655
Station: Kew Gardens
www.kew.org

Kew Gardens, eller Royal Botanic Gardens, Kew, är en botanisk trädgård på 150 hektar i Richmond som 2003 upptogs på Unescos världsarvslista. Här finns över 40 000 olika växtarter. Kew Gardens grundades 1759 och har blivit till en av Londons största turistattraktioner, men kanske har du missat att besöka den vid tidigare besök. Här arbetar man med att upptäcka och beskriva världens mångfald av växter och svampar, för att skydda dem i framtiden samt för att främja en hållbar användning av växter och inspirera människor till att intressera sig för växter och miljö. Kew Gardens har bidragit till att öka förståelsen av växtriket. I dag är det fortfarande först och främst en vetenskaplig institution. Med sina samlingar av levande och konserverade växter, växtprodukter och botanisk forskning, bildar den ett utförligt uppslagsverk som ger oss mycket kunskap om växtriket.

MYSTISKA MUSÉER

– Särpräglade museum

The Sherlock Holmes Museu

Sherlock

MUSEUM OF BRANDS, PACKAGING AND ADVERTISING

– Varumärken genom århundranden

Adress: 2 Colville Mews, Lonsdale Road, Notting Hill, London W11 2AR
Öppettider: Mån: stängt, tis–lör: 10:00–18:00, sön: 11:00–17:00
Kostnad: Vuxen £6.50, barn 7–16 år: £2:25
Telefonnummer: +44 (0)20 7908 0880
Station: Westbourne Park eller Ladbroke Grove
www.museumofbrands.com

Vem var den första regenten att bo i Buckingham Palace?

Runt hörnet från den världsberömda gatumarknaden Portobello Road Market ligger Museum of Brands. Här finns över 12 000 olika loggor till varumärken från slutet av 1800-talet och framåt. Välkommen in i en annan tid. Här kan du se Rimmels kosmetika från 1890-talet, chokladbiten Mars i en tidig kostym, Rolos och KitKats från 1930-talet och en Chopper Bike från 1970 som öppnar dina ögon för hur vi har levt och shoppat under de senaste århundrandet. I den egna tesalongen erbjuder muséet te, kaffe och kakor. Här finns även kalla drycker och retroglass som serveras framför skärmar med tv-reklam från 1955–1985.

Svar: Queen Victoria.

THE VAULT @ HARD ROCK CAFÉ, PARK LANE

– Utställning av musikklenoder

Adress: 150 Old Park Lane, London W1K 1QZ
Öppettider: Alla dagar: 11:00–22:30
Kostnad: : Gratis
Telefonnummer: +44 (0)20 7514 1700
Station: Green Park eller Hyde Park Corner
www.hardrock.com

Gillar du att se minnessaker från olika artister ur historien är The Vault på Hard Rock Café en guldgruva. Här finns en gitarr som användes av Guns N'Roses gitarrist Slash i videon till November Rain, en cembalo som The Beatles spelat på och ett gammalt kreditkort som har tillhört Madonna samt mycket annat. The Vault är gratis och har väl tilltagna öppettider, perfekt för ett besök när du har vägarna förbi caféet.

LONDON TRANSPORT MUSEUM

Adress: Covent Garden Piazza, London WC2E 7BB
Öppettider: Mån–tors & lör–sön: 10:00–18:00, sön: 11:00–18:00
Kostnad: Vuxen: £15:00, barn under 17 år: Gratis, Student: £11:50
Telefonnummer: +44 (0)20 7379 6344
Station: Covent Garden
www.ltmuseum.co.uk

Detta museum tar med dig på en resa genom Londons transportsystem från 1800-talet och framåt. Här finns fascinerande fakta, buss- och tunnelbanesimulatorer samt många familjevänliga spel och aktiviteter. London Transport Museum ligger mitt i Covent Garden och självfallet är det väldigt lätt att transportera sig dit ...

TATE MODERN

Adress: Bankside, London SE1 9TG
Öppettider: Varje dag: 10:00–18:00
Kostnad: Gratis till allmänna utställningen, Temporära utställningar: vuxen: £16.50, student £14.50
Telefonnummer: +44 (0)20 7887 8888
Station: London Bridge
www.tate.org.uk

Tate Modern i London är Storbritanniens nationalmuseum för internationell, modern och samtida konst. Museet öppnades år 2000 och är ett av fyra i Tatemuseer i Storbritannien. De andra tre är Tate Britain (London), Tate Liverpool (Liverpool) och Tate St. Ives (St. Ives, Cornwall). Konstmuseet ligger i ett gammalt kraftverk som för närvarande genomgår en ombyggnation för att passa 2000-talet. Här kan du njuta av målningar av Matisse, Dali och Picasso i en ikonisk fabriksmiljö.

Metropolitan Railway.
ST. JOHN'S WOOD ROAD
TO
MARLBOROUGH ROAD
THIRD CLASS.
Series 1] [A
AP.13.68.
002

BEE-UTIFUL!

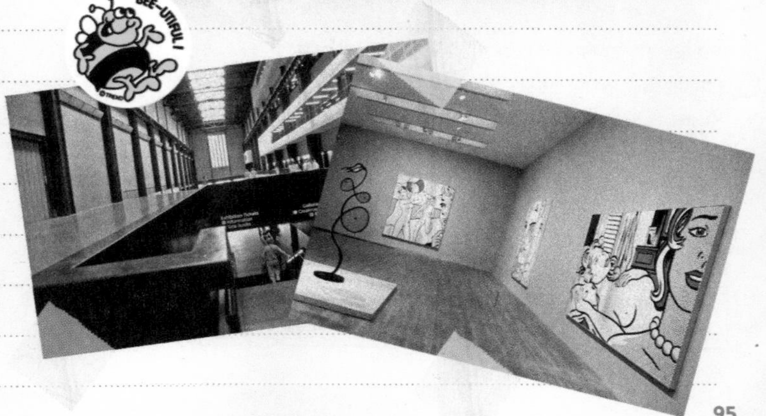

MAGIC CIRCLE MUSEUM, EUSTON

– Museum om magi och trollkonst

Adress: 12 Stephenson Way, London NW1 2HD
Öppettider: Boka i förväg mån–fre: öppnar 11:00 för en visning klockan 11:30
Kostnad: Alla: £16.50
Telefonnummer: +44 (0)20 7387 2222
Station: Euston
www.themagiccircle.co.uk

Här finner du bland annat bilder och rekvisita från världsberömda trollkarlar som Harry Houdini och Tommy Cooper. I en inspelning kan du höra Houdinis röst och se de handklovar han använt för ett utbrytartrick. Här finns över 10 000 magiska hemligheter. Dessutom håller man shower med nutida trollkarlar, buktalare och mycket mer. Observera att du måste boka in ditt besök i förväg. Du kan maila dem på cma@themagiccircle.co.uk eller ringa telefonnumret ovan. Magic Circle Museum är ett måste för alla som är intresserade av magi.

LONDON CANAL MUSEUM

Adress: 12–13 New Wharf Road, London N1 9RT
Öppettider: Mån: stängt, tis–sön: 10:00–16:30
Kostnad: Vuxen: £4.00, barn 5–15: £2:00, student: £3.00
Telefonnummer: +44 (0)20 7713 0836
Station: King's Cross eller Pentonville Road
www.canalmuseum.org.uk

1969 samlades 250 000 personer i Hyde Park för att se en gratiskonsert av ett amerikanskt band, vilket var bandet?

Svar: Rolling Stones.

Detta är ett litet museum som berättar den färgstarka historien om de kanalsystem som inledningsvis var viktiga handelsvägar i London. Lär dig mer om människorna som jobbade på kanalerna och om det som fraktades där, bland annat naturis till de tidigaste kylskåpen. Förr drogs faktiskt båtarna av hästar på kajerna. Innan ditt besök kan du ta en titt på museets evenemangskalender på hemsidan.

FREUD MUSEUM, HAMPSTEAD

– Besök Sigmund Freuds tidigare hem

Adress: 20 Maresfield Gardens, London NW3 5SX
Öppettider: Mån–tis: stängt, ons–sön: 12:00–17:00
Kostnad: vuxen: £6.00, studenter och barn 12–16 år: £3.00, barn under 12 år: Gratis
Telefonnummerl: +44 (0)20 7435 2002
Station: Finchley Road
www.freud.org.uk

Huset som museét är beläget i var familjen Freuds hem efter att de flytt från nazismen i Österrike 1938. Huset var i familjens ägo tills 1982 då Sigmund Freuds dotter Anna gick bort. Det var dotterns vilja att huset skulle bli till ett museum efter hennes död. Här kan du se Freuds soffa, den som hans patienter låg på då han behandlade dem, samt Freuds personliga bibliotek. De flesta av möblerna är de som familjen lyckades ta med sig från Österrike, bland annat orientaliska antikviteter och ett porträtt av Freud målat av Salvador Dali. Det finns även en fin trädgård och en museibutik där flera av Freuds verk kan köpas.

Vad är namnet på den gata där The Beatles hade sin inspelningsstudio?

Sigmund Freud
© Freud Museum London

Svar: De döpte även ett av sina album efter gatan. Abbey Road.

THE SHERLOCK HOLMES MUSEUM

– Elementärt, min käre resenär!

Adress: 221B Baker St, London NW1 6XE Behöver du verkligen adressen hit?
Öppettider: Mån–sön: 09:30–18:00
Kostnad: Vuxen: £8, barn under 16 år: £5
Telefonnummerl: +44 (0)20 7224 3688
Station: Baker Street
www.sherlock-holmes.co.uk

Enligt Sir Arthur Conan Doyles berättelser bodde Sherlock Holmes och doktor John H. Watson på den välkända adressen 221B Baker Street mellan 1881–1904. På den tiden hade Baker Street inte så många husnummer, men med åren har gatan förlängts och den välkända adressen har uppstått i efterhand. Huset skyddas i dag av regeringen på grund av dess speciella arkitektoniska och historiska värde. Museumet är väl underhållet med första våningen i autentiskt viktoriansk stil och varje rum är fyllt av överraskningar. I museibutiken hittar du många roliga prylar som kan vara svåra att motstå. Museét är väldigt populärt och det är inte ovanligt att man får köa om man kommer dit under tidig eftermiddag.

The Shelock Holmes Museun

WORLD RUGBY MUSEUM & STADIUM TOURS @ TWICKENHAM

Adress: Twickenham Stadium, Rugby Road, Twickenham, Middlesex TW1 1DZ
Öppettider: Mån: stängt, tis–lör:10:00–17:00, sön: 11:00–17:00
Kostnad: Vuxen: £7, reducerat pris: £5
Telefonnummer: +44 (0)20 8892 8877
Station: Twickenham
www.rfu.com/twickenhamstadium/worldrugbymuseum

World Rugby Museum är den perfekta upplevelsen för rugbyentusiasten. Twickenham är center för engelsk rugby och här finns även den finaste samlingen av rugbyminnessaker i världen. Museet öppnades 1996 och är mer än bara en samling intressanta föremål. Det tar också med besökarna på en resa genom sportens historia från dess ursprung och fram till i dag.

Greta Garbo
Conception of the Remote Austerity of Garbo, 1935 by Robert Sherriffs © Cartoon Museum collection

CARTOON MUSEUM

Adress: 35 Little Russell St, London WC1A 2HH
Öppettider: Mån–lör: 10:30–17:30, sön: 12:00–17:30
Kostnad: Vuxen: £7, student: £3, barn 0–18 år: Gratis
Telefonnummer: +44 (0)20 7580 8155
Station: Tottenham Court Road Station eller Holborn Station
www.cartoonmuseum.org

Vid Tower of London lever ett antal korpar. Vad kommer hända, enligt legenden, om de överger tornet?

Svar: Kungadömet kommer enligt legenden att falla.

1988 samlades en grupp serietecknare, samlare och seriefantaster i syfte att främja och bevara det bästa av brittisk tecknad seriekonst. Efter att de ställt ut konstverken i mindre lokaler i omkring 10 år, öppnades Cartoon Museum 2006. Här finner besökaren en mängd olika serietecknares bilder, karikatyrer, satirer och seriestrippar. I den permanenta samlingen ingår verk av ett antal berömda viktorianska serietecknare: John Leech, George Cruikshank, George Du Maurier och John Tenniel bland annat. Här finns även ett bibliotek med 5 000 böcker för de som vill fördjupa sig i ämnet. I museibutiken finns ungefär 900 titlar, serier, grafiska romaner och barnböcker Samt även vykort, affischer och nyutgåvor av gamla klassiker.

GRANT MUSEUM OF ZOOLOGY

Adress: Rockefeller Building, University College London, 21 University St, London WC1E 6DE

Öppettider: Mån–lör: 13:00–17:00, sön: stängt

Kostnad: Gratis

Telefonnummer: +44 (0)20 3108 2052

Station: Euston Square

www.ucl.ac.uk/museums/zoology

Zoologiska museer är ett måste för djurälskare – och för många andra också för den delen. På Grant Museum of Zoology finns omkring 67 000 exemplar ur världens djurriken. Museet är fyllt av skelett, uppstoppade djur och konserveringar. Här kan du se utrotningshotade eller redan utrotade djur som den tasmanska tigern, kvaggan (en slags zebra) och fågelarten dront.

POLLOCK'S TOY MUSEUM

– Leksaksmuseum för alla lekfulla

Adress: 1 Scala St, Greater London W1T 2HL
Öppettider: Mån–lör: 10:00–17:00, sön: stängt
Kostnad: vuxen: £6, student: £5, barn: £3
Telefonnummerl: +44 (0)20 7636 3452
Station: Goodge Street
www.pollockstoymuseum.com

Hur många gånger har de Olympiska spelen hållits i London?

Här finns leksaker från olika tider samlade precis som i Tomtens verkstad. Det är en fascinerande utställning med leksaksteatrar, nallar, vax- och porslinsdockor, brädspel, optiska leksaker, folkliga leksaker, barnmöbler, mekaniska leksaker och dockskåp. Trots det ungdomliga temat är detta ett museum som är mycket uppskattat av både barn och vuxna.

PETRIE MUSEUM OF EGYPTIAN ARCHAEOLOGY

Adress: Malet Place, Camden, London WC1E 6BT
Öppettider: Sön–mån: stängt, tis–lör: 13:00–17:00
Kostnad: Gratis
Telefonnummerl: +44 (0)20 7679 2884
Station: Euston Square
www.ucl.ac.uk/museums/petrie

Museet inrättades av den excentriska resenären och dagboksskrivaren Amelia Edwards 1892. Det är uppkallat efter arkeologen och egyptologen Flinders Petrie. Museet inhyser omkring 80 000 föremål vilket gör det till en av världens största samlingar av egyptisk arkeologi.

Svar: Tre gånger; 1908, 1948 och 2012.

Föremålen illustrerar livet i Nildalen då olika faraoner härskade där. Museet är beläget på första våningen av University College London i två mindre rum. De föremål som inte får plats i utställningslokalerna kan du se på bild i museets onlinekatalog.

LONDON FIRE BRIGADE MUSEUM

– Brandkårens museum

Adress: 94a, Southwark Bridge Road, London SE1 0EG
Öppettider: endast guidade visningar mån–fre: 10:30 & 14:00
Kostnad: Vuxen: £5, barn 0–16 år: £3
Telefonnummerl: +44 (0)20 8555 1200
Station: Borough
www.london-fire.gov.uk/ourmuseum.asp

På London Fire Brigade Museum får du lära dig hur brandbekämpningen har utvecklats under de senaste 340 åren. Här finns brandkårens fordon, utrustning och andra föremål från så långt tillbaka som 1700-talet. Man håller endast guidade visningar efter förhandsbokning. Kontakta museet innan besök per telefon eller genom hemsidan.

CHARLES DICKENS' MUSEUM

Adress: 48 Doughty St, London WC1N 2LX
Öppettider: Alla dagar. 10:00–17:00
Kostnad: Vuxen: £8.00, student: £6.00, barn 6–16 år: £4.00, barn 0–5: Gratis
Telefonnummerl: +44 (0)20 7405 2127
Station: Russell Square
www.dickensmuseum.com

Museet ligger i det hus där Charles Dickens bodde under åren 1837–1839. Han kallade det för "mitt hus i stan". Två av hans döttrar föddes här och flera av hans mest älskade romaner skrevs i huset. Museet invigdes 1925 och har blivit hem för en av världens främsta Dickenssamlingar.

© Siobhan Doran Photography

FLORENCE NIGHTINGALE MUSEUM

Adress: 2 Lambeth Palace Road, London SE1 7EW
Öppettider: alla dagar: 10:00–17:00
Kostnad: Vuxen: £5.80, student: £4.80, barn under 16 år: £4.80, barn under 5 år: Gratis
Telefonnummerl: +44 (0)20 7620 0374
Station: Westminster eller Waterloo
www.florence-nightingale.co.uk

På vilken station finner du den längsta rulltrappan i Londons tunnelbana?

Svar: Angel Underground Station. Den är 60 meter lång och har en stigning på 27 meter.

Florence Nightingale ledde de sjuksköterskor som tog hand om tusentals soldater under Krimkriget. Hennes insats räddade den brittiska armén undan en medicinsk katastrof. Hon var en reformator som förändrade sjukvården och i Storbritannien hyllas hon som nationell hjälte. På museét får besökarna lära sig mer om hennes liv och gärningar. Höjdpunkterna är bandinspelningarna av Florence och samtida påhejare och kritiker, det uppstoppade exemplaret av Florences uggla som hon räddade i Aten och medicinväskan hon använde under Krimkriget.

FASHION & TEXTILE MUSEUM

Adress: 83 Bermondsey St, London SE1 3XF
Öppettider: Sön–mån: stängt, tis–lör: 11:00–18:00
Kostnad: Vuxen: £8, student: £5.50, barn under 12 år: Gratis
Telefonnummerl: +44 (0)20 7407 8664
Station: London Bridge
www.ftmlondon.org

Fashion & Textile museum strävar efter att vara ett banbrytande centrum för samtida mode, textilier och smycken i London. Museet grundades av den brittiska formgivaren Zandra Rhodes. Utställningarna innehåller mode, textil och smycken och man håller även kurser för modestudenter för att utveckla framtidens kreativitet inom modeindustrin. Här presenteras både designikoner och klassiska konstnärer som Picasso och Warhol.

CINEMA MUSEUM

– Ett måste för alla cineaster

Adress: 2 Dugard Way, London SE11 4TH
Öppettider: endast förbokade guidade turer
Kostnad: vuxen: Vuxen: £10, alla andra: £7
Telefonnummerl: +44 (0)20 7840 2200
Station: Elephant and Castle
www.cinemamuseum.org.uk

Museet har unika samlingar av minnessaker, biografutrustning och föremål från 1890 fram till i dag. Museet är en ideell organisation som grundades 1986 av Ronald Grant och Martin Humphries som har skänkt material från sina egna privata samlingar ur filmhistorien. Museét erbjuder program för samtal om biofilm samt guidade turer för besökare. Här kan man ta del av unika utställningar som presenteras av passionerade guider.

SCIENCE MUSEUM

Adress: Exhibition Road, London SW7 2DD
Öppettider: Alla dagar: 10:00–18:00
Kostnad: Gratis
Telefonnummerl: +44 (0)870 870 4868
Station: South Kensington
www.sciencemuseum.org.uk

Londons tunnelbana är världens första.
Under vilket århundrande öppnade London Underground?

Svar: 1800-talet. 1863 för att vara exakt. Banan gick då mellan Bishop's Road (dagens Paddington) och Farringdon Street.

Science Museum grundades 1857 som en del av South Kensington Museum, och blev ett självständigt museum 1909. I dag är museet världsberömt för sina historiska samlingar, imponerande gallerier och inspirerande utställningar. Museet har stora samlingar inom naturvetenskap och teknik med över 300 000 föremål. De mest kända objekten är den första jetmotorn, en rekonstruktion av Francis Cricks och James Watsons modell av DNA, några av de äldsta bevarade ångmaskinerna, en rekonstruktion av Charles Babbages differensmaskin samt den första prototypen till tiotusenårsklockan: ”Clock of the Long Now”. Det finns flera hundra interaktiva utställningsobjekt, en tredimensionell IMAX-biograf, samt Henry Wellcomes medicinalhistoriska samling. Utöver museidriften är Science Museum en internationellt erkänd forskningsinstitution. Biblioteket var fram till 1960-talet Storbritanniens nationalbibliotek för naturvetenskap, medicin och teknologi.

Cinema Museum

Science Museum

DENNIS SEVERS' HOUSE
– Stig in i en komplett 1800-talsvärld

Adress: 18 Folgate St, London E1 6BX
Öppettider: Söndagar: 10:00–16:00, vissa måndagar: 10:00–14:00
Kostnad: alla: £10
Telefonnummerl: +44 (0)20 7247 4013
Station: Shoreditch High Street
www.dennisseversshouse.co.uk

Dennis Severs' House är, en historisk fantasi i form av ett
bostadshus i autentisk stil som skildrar hur livet kunde ha sett ut för en familj som var sidenvävare på 1800-talet. Huset är ett kulturmärkt, georgianskt radhus. Dennis Severs bodde här 1979–1999 och han förvandlade rum efter rum i stil med det tidigare århundrandet. Nu är det ett mycket populärt museum. Observera att förbokning krävs för en rundtur, och att det inte går att komma som drop-in-gäst. Särskilt kvällsvisningarna rekommenderas.

Vilken flygplats kan du nå genom att ta Piccadilly Line?

Foto byline: Roelof Bakker

Svar: Heathrow.

HORNIMAN MUSEUM

– Ett måste för alla cineaster

Adress: 100 London Road, London SE23 3PQ

Öppettider: varje dag: 10:30–17:30

Kostnad: Gratis, Akvariet: vuxen: £3.00, barn 3–16 år: £1:10, barn under 3 år: Gratis

Telefonnummerl: +44 (0)20 8699 1872

Station: Forest Hill station

www.horniman.ac.uk

Här finner du pappersdrakar i taket, en gigantisk insektssamling, en mängd uppstoppade djur och information om vår världs djurliv samt om hur vi ska bevara utrotningshotade arter. Du kan även se egyptiska mumier, föremål från Afrika samt specialutställningen med musikinstrument. Museumet innehåller en gigantisk utställning om olika kulturer och platsen omges av en trädgård på sex hektar där det finns någonting för alla. Från trädgården har man en fantastisk utsikt över London. Dessutom finns ett akvarium där åtta olika geologiska områden beskrivs med levande djur från olika hav och vattenområden. Museet anordnar även en mängd aktiviteter, allt från uppvisningar i olika kulturella danser till evenemang för barn där de får vara med och testa olika musikinstrument. Museet arbetar för att vara en inspirerande och dynamisk plats för kultur och naturvetenskap.

Vad heter skådespelaren som är född i London 9 januari 1960 och känd från filmer som Notting Hill, Bridget Jones Dagbok och Love Actually?

Svar: 1Hugh Grant.

ANNORLUNDA AFFÄRER

– Ovanliga butiker och specialaffärer

CHANEL

THE CHRISTMAS SHOP

– Nu är det jul igen och igen och igen

Adress: Hay's Galleria, 55A Tooley St, Southwark, London SE1 2QN
Öppettider: mån–fre: 8:30–19:00, lör: 10:00–18:00, sön 10:30–17:30
Telefonnummer: +44 (0)20 7378 1998
Station: London Bridge
www.thechristmasshop.co.uk

Här kan du köpa allt som hör julen till – året runt! Här finns en mängd olika juldekorationer, glitter, tomtar, julkulor, tomtedräkter, belysning och mycket annat. Det kanske känns lite som att fuska, men då har du inte testat att ha en julfest mitt i sommaren! Butiken ligger endast 400 meter från Tower Bridge och du lär hinna fram innan jul.

Vissa lokaltåg har akronymen DLR. Vad står förkortningen för?

SUPREME

– Skate-shop for alla skateboardfans där ute

Adress: 2–3 Peter Street, London W1F 0AA
Öppettider: Mån–lör: 11:00–19:00, sön: 12:00–18:00
lör: 10:00–18:00, sön 10:30–17:30
Telefonnummer: +44 (0)20 7437 0493
Station: Leicester Square
www.supremenewyork.com

Här finns något för alla som uppskattar skateboards – såväl sporten som modet. Butiken öppnade 1994 och har sedan dess samarbetat med olika musiker, konstnärer och designers för att kunna hålla sig à jour med det senaste inom skatingkulturen. Här finns även kläder för de som gillar hiphop och punkigare stilar. På hemsidan finns bilder på kollektionen och även en webbshop. Butikskonceptet är ursprungligen amerikanskt och filialer finns även i storstäder som Los Angeles och Tokyo.

Svar: Docklands Light Railway.

SH!

– Sexshop med inriktning på kvinnor

Adress: 57 Hoxton Square, London N1 6PD
Öppettider: alla dagar: 12:00–20:00
Telefonnummer: +44 (0)20 7613 5458
Station: Old Street
www.sh-womenstore.com

Butiken profilerar sig som Londons enda sexshop med särskild inriktning mot sexleksaker för kvinnor. Personalen är vänlig och ger uppriktiga råd. Här finner du böcker, presenter och konstverk samt strap-ons, dildos och vibratorer i alla möjliga material. Kolla gärna in vibratorn som aktiveras av låtarna du spelar på din iPod...
I källaren finns festishkläder och spektakulära underkläder. Butiken har funnits sedan 1992 och den har vunnit flera priser för sitt speciella utbud och för sin inriktning. Män är speciellt välkomna till "Gents Eve" varje tisdag 18:00–20:00.

The Christmas Shop

Sh! Sex Shop

HOPE & GREENWOOD

– Lördagsgodis för hela slanten

Adress: 20 North Cross Road SE22
Öppettider: Mån–lör: 10:00–18:00, sön: 11:00–17:00
Telefonnummer: +44 (0)20 8761 7243
Station: East Dulwich
www.hopeandgreenwood.co.uk

Detta är en gammaldags godisaffär från sagornas värld. Här finns allt det som du skulle ha älskat som barn: traditionella karameller, klubbor, sockervadd, fudge, chokladpraliner, lakrits i alla former och godis i alla regnbågens färger. Ägarna startade godisbutiken eftersom de tyckte att alla gamla traditionella godisaffärer försvunnit. De har skrivit böcker om sötsaker och butiken har blivit utsedd till "Shop of the Year 2005" i tidningen Observer. Gå dit och köp med dig lite godsaker till alla sockergrisar där hemma.

PERSEPOLIS

– Persisk delikatessbutik

Adress: 28–30 Peckham High St, London SE15 5DT
Öppettider: alla dagar: 10:35–21:00
lör: 10:00–18:00, sön 10:30–17:30
Telefonnummer: +44 (0)20 7639 8007
Station: Peckham Rye
www.foratasteofpersia.co.uk

Lady Diana och prins Charles fick två söner. Vad heter de?

Svar: William och Harry.

I butiken Persepolis finner du ett brett utbud av persiska delikatesser, livsmedel och hantverk från Iran och Kina. Här finns bakverk och godis, konserver, en mängd kryddor och teer, yoghurt och ost. Persepolis säljer även vattenpipor och böcker. I delikatessdisken finns färska färdigrätter, perfekta för en lunch i parken. På hemsidan finns en blogg, klassiska persiska recept till de ingredienser du kan köpa i affären samt en webbshop.

Hope & Greenwood

Hope & Greenwood

Hope & Greenwood

PELICANS & PARROTS

– Spännande vintage och hemlig rombar

Adress: 40 Stoke Newington Road, Dalston, London N16 7XJ
Öppettider: alla dagar: 11:00–19:00
Telefonnummer: +44 (0)20 3215 2083
Station: Dalston Kingsland
www.pelicansandparrots.com

Vilket nummer ska du ringa om du behöver akut hjälp av polis, ambulans eller brandkår i England?

Detta är en blandning av en klassisk skräddare och en trendig vintagebutik med kläder och möbler. Butiken öppnade 2010 och man använder hela världen som inspiration när man köper in varor från olika antikmässor och marknader runt om i Europa. Här finns allt från spännande fjäderbonader från Trinidad till kasserade skidbyxor i neonblått från 1980-talet. I filialbutiken (samma gata nummer 81) där man endast säljer möbler finns en hemlig eventlokal – Pelicans & Parrots Below – som ser ut som en karibisk rombar. Se hemsidan för olika kvällsevenemang.

BLADE RUBBER STAMPS

– Scrapbook-heaven för pyssliga personer

Adress: 12 Bury Place, WC1
Öppettider: Mån–lör: 10:30–18:00, sön: 11:30–16:30
Telefonnummer: +44 (0)845 873 7005
Station: Holborn
www.bladerubberstamps.co.uk

Detta är en pysselbutik med klistermärken, stämplar, glitter, böcker och tidningar. Det finns en mängd olika saker att titta på och det är svårt att gå härifrån utan att ha köpt med sig något slags glitter eller annat pyssel. Om du har tid anordnar man även olika kurser för de som vill lära sig pyssla på nya sätt. En tvåtimmarskurs kostar £15.00.

Svar: 999, 112 går också bra.

KIRK ORIGINALS

– Se hit alla glasögonormar

Adress: 6 Conduit Street, London, W1S 1XE
Öppettider: Mån–lör: 10:00–19:00, sön: 12:00–18:00
Telefonnummer: +44 (0)20 7499 0600
Station: Oxford Circus
www.kirkoriginals.com

Detta är en av Londons bästa glasögonbutiker. Kanske trodde du att det endast var nördar som bar glasögon men där gick du bet! På Kirk Originals är inställningen att det ska vara kul att gå till optikern. Gå in här och testa synen och se dig sedan om bland butikens stora utbud av glasögon i en mängd olika modeller. Även om du har perfekt syn kan du köpa dig ett par fönsterglasbrillor för när du väl varit här vill du aldrig gå utan dessa moderna accessoarer igen.

SYLVANIAN FAMILIES

– Samlingsbutik förde nostalgiska djurfamiljerna Sylvanian

Adress: 68 Mountgrove Road, London N5 2LT
Öppettider: Mån–fre: 9:00–17:00, lör: 9:00–18:00, sön: 10:00–16:00
Telefonnummer: +44 (0)20-7226 1329
Station: Arsenal
www.sylvanianfamilies.com

Minns du Skogsfamiljerna, de där små plastdockorna med olika djurfamiljer, som hade en sträv yta som liknade djurpäls? Här har du en hel affär fylld med dessa små skapelser. Inte nog med att du kan samla hela kanin- eller nallebjörnsfamiljen, här finns även en stor mängd attiraljer att utöka din samling med: kläder, accessoarer, möbler och små bilar. Snart kommer du att utveckla en nostalgi du inte visste att du hade och reser du med barn har du – genom att besöka denna butik – gjort dem lyckliga.

TOM DIXON SHOP

– Omtalad modern möbeldesign

The London Eye består av 32 slutna gondoler med plats för 25 personer i varje gondol. Hur många personer kan åka samtidigt i pariserhjulet?

Adress: Wharf Building, Portobello Dock, 344 Ladbroke Grove, London, W10 5BU
Öppettider: Mån–lör: 10:00–18:00, sön: 11:00–17:00
Telefonnummer: +44 (0)20 7183 9737
Station: Ladbroke Grove
www.tomdixon.net

Här hittar du den välkände industridesignern Tom Dixons butik. Längs med kanalen ligger butiken som lika gärna kan besökas som en utställning utan att du köper något. Förutom Tom Dixons egna produkter – i form av möbler, lampor och accessoarer – visas även en exklusivt utvald skara av designers här.

Svar: 800 personer.

Sylvanian familj

Farm Shop Dalston

FARM SHOP DALSTON

– Urbant lantbruk mitt i London

Adress: 20 Dalston Lane, London E8 3AZ
Öppettider: alla dagar: 11:00–17:00
Telefonnummer: +44 (0)7736 002006
Station: Dalston Junction
www.farmlondon.weebly.com

Med livliga Dalston High Street om hörnet ligger här denna urbana bondgård som en oas i storstadsmiljön. Här odlar man sallader och örter och Farm Shop har även egen fisk- och kycklinguppfödning. Att promenera genom butiken är nästan som att gå på ett naturvetenskapligt museum eller som att besöka en bondgård på landet. Här kan du köpa lokalproducerad honung, fisk eller rättvisemärkt ekologiskt kaffe. I kaféet rekommenderar vi baconsmörgåsen för £4,50 – det är förmodligen Londons bästa smörgås.

LUCY IN DISGUISE

– Lily Allens glamourösa vintagebutik

Adress: 48 Lexington Street, London, W1F 0LR
Öppettider: Mån–lör: 11:00–19:00, sön: 12:00–18:00
Telefonnummer: +44 (0)20 7637 2567
Station: Piccadilly Circus
www.lucyindisguiselondon.com

Detta är en exklusiv secondhand-affär, en frisör och en eventfirma i ett. Och det är ingen mindre än Lily Allen och hennes halvsyster Sarah Owen som har skapat den. Här finns fantastiska balklänningar från 1950–60-talen för omkring £80–£120, sidenklänningar från 1920-talet, festklänningar från 1980–90-talen, Versacejeans och one-piece-overaller. Hos frisören kan du få en retrofrisyr i modern tappning och make-up-styling. Gå inte hit om det tryter i reskassan, för det kommer definitivt att bli ett stort hål i börsen när du trippar härifrån i din nya festblåsa.

VIKTOR WYND'S LITTLE SHOP OF HORRORS

– Museum och butik för fantasins fantaster

Adress: 11 Mare St, London E8 4RP
Öppettider: endast öppet lördagar: 11:00–20:00
Telefonnummer: +44 (0)20-7998 3617
Station: Bethnal Green eller Old Street
www.viktorwyndofhackney.co.uk

Detta är lika mycket ett museum som en affär. När du kommer innanför dörrarna möts du av jättelika antilophuvuden och afrikanska voodoomasker. Här finns en mängd mytologier och ockulta böcker. Arméer av skalbaggar och fjärilar spatserar över väggarna.

Svar: Guy Fawkes.

Det är som att komma in i en helt ny – lite läskig – värld. Kanske som en science fiction-film som gått lite för långt. Butiken har endast öppet på lördagar men man anordnar regelbundna föreläsningar om ämnen som du inte visste fanns, workshops, dockteater och filmvisningar för cirka £10.

CYBERDOG

– Trancemusik och cyberkläder i Camden

Adress: Chalk Farm Road, Primrose Hill, London, NW1 8AH
Öppettider: Mån–fre: 11:00–19:30, lör–sön: 10:00–20:00
Telefonnummer: +44 (0)20 7482 2842
Station: Camden Road eller Charlk Farm
www.shop.cyberdog.net

Välkommen till UV-ljusets lysande värld. Här hittar du allt som hör till trance-, rave-, goa- och cybervärlden. Självlysande kläder och accessoarer med blinkande lampor, skor, posters och leksaker indelade i fyra kategorier: Kawaii, Neon Clubwear, Futurism (2090's) och Cybertonic. Att gå in här och testa några galna outfits är något av det roligaste man kan göra en regnig eftermiddag. När du hittat en riktigt galen outfit kan du göra ett besök på klubbarna i Vauxhall eller gå på svartrockklubben Slimelight.

5 november 1605 upptäckte man att en man försökte spränga parlamentet med krut. Med fyrverkerier och raketer firar man själva avslöjandet än idag. Vad hette mannen som försökte spränga parlamentet?

POSTCARD TEAS LTD

– Ovanliga teer för passionerade tedrickare

Adress: 9 Dering St, London W1S 1AG
Öppettider: Mån–lör: 10:30–18:30, sön: stängt
Telefonnummer: +44 (0)20-7629 3654
Station: Oxford Circus eller Bond Street
www.postcardteas.com

Vad heter den brittiska syntgruppen som bildades under det tidiga 1980-talet av Neil Tennant och Chris Lowe?

Endast ett par minuter från Oxford Street finner du denna intressanta tebutik fylld av ovanliga teer från små teodlingar i Kina och sex andra länder i Asien. Här kan du gå på teprovning samt lära dig en hel del som du inte visste om den populära drycken. Här ligger fokus på kvalitet, rättvisemärkta teer och miljövänlig produktion. Dessutom har ägarna 20 års erfarenhet av resor till olika producenter, där de träffar tillverkarna bakom teerna och intresserar sig för hur teplantagen behandlar sina anställda. Gör något riktigt engelskt: gå på te-safari.

Postcards teas

Svar: Pet Shop Boys.

THE MUTZ NUTZ

– Shoppa till katten eller hunden där hemma

Adress: 221 Westbourne Park Road, Notting Hill, London W11 1EA
Öppettider: Mån–fre: 10:00–19:00, lör: 10:00–18:00, sön: 12:00–17:00
Telefonnummer: +44 (0)20 7243 3333
Station: Ladbrook Grove

www.themutznutz.com

Detta är en elegant djurbutik för lite finare katter och hundar. Här finns naturgodis, mumsig katt- eller hundmat, trendiga designerkläder, leksaker, sängar och filtar samt innovativa produkter för dina sällskapsdjur. Här hittar du säkerligen en present till din lilla djurvän som du lämnat hemma under resan. Tänk på att inte packa ned hundgodiset i handbagaget – då kommer knarkhundarna aldrig att lämna dig ifred på flygplatsen.

VINTAGE HEAVEN

– En second-hand-shop med särskilt utvalda föremål

Adress: 82 Columbia Road, Bethnal Green, London E2 7QB
Öppettider: Mån–tors: stängt, fre: endast avtalad tid, lör: 12:00–18:00, sön: 8:30–17:30
Telefonnummer: +44 (0)1277 215968
Station: Bethnal Green

www.vintageheaven.co.uk

I denna vintagebutik hittar du allt från vackra porslinsserviser till hatthängare från en annan tid. Ägaren har ett intresse för återanvändning snarare än för nytillverkade ting och när den privata samlingen uppfyllde två stora garage var det dags att öppna en butik. Här finner du många spännande prylar och efteråt föreslår vi en fika i Cakehole Café som ligger i butiken. Hit går du – som du ser på öppettiderna ovan – enklast på helgen.

JAMES SMITH & SON UMBRELLA SHOP

– Världsberömd engelsk paraplyaffär

Adress: Hazelwood House, 53 New Oxford Street, London WC1A 1BL
Öppettider: Mån: + ons–fre: 10:00–17:45, lör: 10:00–17:15, sön: stängt
Telefonnummer: +44 (0)20 7836 4731
Station: Tottenham Court Road eller Holborn
www.james-smith.co.uk

Hit går varje äkta engelsk gentleman för att införskaffa sig ett riktigt fint paraply – i England hör ju paraplyet till standardklädseln. Visste du till exempel att ditt paraply ska vara av en viss höjd för att matcha din längd? Jo, så är det för paraplyet kan även användas som en promenadkäpp för de tillfällen då solen tittar fram.
Den världsberömda butiken James Smith & Son grundades 1830 och drivs fortfarande inom familjen. Denna historiska och vackra butik påminner om den viktorianska tiden så titta in här bara för att uppleva en unika miljön.

L CORNELISSEN & SON

– Konstnärstillbehör för målande talanger

Adress: 105 Great Russell Street, London, WC1B 3RY
Öppettider: Mån–lör: 9:30–17:30, sön: stängt
Telefonnummer: +44 (0)20 7636 1045
Station: Tottenham Court Road
www.cornelissen.com

Nämn minst tre andra världsmetropoler förutom London som har sina egna "Madame Tussauds".

Denna legendariska konstbutik har varit verksam sedan 1855. Professionella konstnärer såväl som vanliga hobbymålare kommer troget hit för att köpa nya penslar, färg, pigment och dukar. Butiken har ett eget märke som är riktigt högklassigt men säljer även många andra populära märken inom konstnärsområdet.

Svar: Det finns filialer i Amsterdam, Berlin, Hong Kong, Hollywood, Las Vegas, New York och Wien.

TURNBULL & ASSER

– Herrekipering om James Bond får välja

Adress: 71 & 72 Jermyn Street SW1
Öppettider: Mån–fre: 9:00–18:00, lör: 9:30–18:00, sön: stängt
Telefonnummer: +44 (0)20 7 808 3000
Station: Green Park
www.turnbullandasser.co.uk

Denna mer formella klädesbutik för män har funnits sedan 1885. Hit har kungligheter, politiker och filmstjärnor kommit för att förse sig med stilriktiga kläder. Vissa plagg ur James Bonds garderob kommer till exempel från Turnbull & Asser. De tillhandahåller en komplett herrkollektion och de är särskilt välrenommerade för sina skjortor och slipsar som tillverkas på engelska fabriker. Filialer finns även på 23 Bury Street och på 125 Old Broad Street.

James Smith & Sons Umbrella Shop

L Cornelissen & son

RELLIK

– Hit går Lady Gaga för nattshopping när köttklänningen börjat stinka i garderoben

Adress: 8 Golborne Road, London, W10 5NW
Öppettider: Sön–mån: stängt, tis–lör: 10:00–18:00
Telefonnummer: +44 (0)20 8962 0089
Station: Westbourne Park
www.relliklondon.co.uk

Var kan du korsa floden Thames till fots och under jord?

Denna vintagebutik fick en gång besök av självaste Lady Gaga runt midnatt – bara det gör ju att Rellik är värt ett besök. Även Kate Moss och Kylie Minogue är kunder i denna butik med vackra och originella kreationer. Här finns märken som Jean Paul Gaultier, Chloé, Ossie Clark och Yohji Yamamoto. De flesta av kläderna följer modet från 70-, 80 och 90-talen men det finns även samtida modeskapelser och smycken. Ägarna ligger stor vikt vid plaggens kvalitet och härkomst men trots de exklusiva märkena är varken butiken eller prislapparna överdrivna. Istället bygger hela idén på en sann fascination för fashion.

Svar: The Greenwich Foot Tunnel, the Woolwich Foot Tunnel och the Rotherhite Tunnel.

ALICE THROUGH THE LOOKING GLASS

– Välkommen till Spegellandet

Adress: 4 Cecil Court, London, London, London, WC2N 4HE
Öppettider: Sön–mån: stängt, tis–lör: 11:00–18:30
Telefonnummer: +44 (0)20 7836 8854
Station: Leicester Square
www.alicelooking.com

Inledningsvis var detta en vanlig bokhandel men när ägaren fann ett speciellt schackspel med bilder från Alice i Spegellandet kände han att han ville bygga vidare på temat. Nu finns här en mängd kuriosa i Alices anda – men självklart en hel del böcker också. Flera förstaupplagor av de båda böckerna av Lewis Carrol förstås men även en del annat som höga viktorianska hattar och andra detaljer ur böckerna. Här omfamnar man både de ljusa och de mörkare sidorna av Alice-temat genom en mängd nationella hantverkares produkter. Schackspelet finns inramat i butiken och uppgår numera till ett värde av £100 000. Välkommen ned i kaninhålet – inte minst för att hälsa på Harley, den vita livs levande jättekaninen som bor i skyltfönstret.

HOXTON STREET MONSTER SUPPLIES

– Snabbköp för monster och andra kräk

Adress: 159 Hoxton Street, Shoreditch, London, N1 6PJ
Öppettider: Sön–mån: stängt, tis–fre: 13:00–17:00, lör: 11:00–17:00
Telefonnummer: +44 (0)20 7729 4159
Station: Hoxton
www.monstersupplies.org

Hoxton Street Monster Supplies grundades 1818 – under den tid då monstren gick lösa mitt ibland oss. 2010 genomfördes en omfattande renovering och nu står portarna öppna igen med kvalitetsvaror för monster av alla de slag. Hit har kunder kommit i århundranden för att fylla på skafferiet med en burk "Mortal terror", "Cubed Earwax" eller "Milk Tooth Chocolate". Okej, affären är egentligen en kreativitetsbutik startad av "Ministry of Stories" – ett kreativt skrivarsällskap som anordnar workshops för barn i åldrarna 8–18 år i syfte att uppmuntra barn i östra London att fantisera, berätta och skriva. Företaget är ideellt och använder sig av volontärer till sina workshops.
I Sverige heter filialen Berättarministeriet och här hemma har man istället en Alien Supermarket på flera platser i Stockholm. Sakerna som säljs är framförallt roliga att ha som prydnader eller att ge bort i present. Särskilt bra känns det ju att köpa något för det goda syftets skull.

Vad heter de kända vakterna vid Tower of London?

Svar: Beefeaters.

NEAL'S YARD REMEDIES

– Ekologiska hälsobehandlingar för hela slanten

Adress: 15 Neal's Yard, London, WC2H 9DP
Öppettider: Mån–fre: 9:00–17:30, lör: 9:00–17:00, sön: stängt
Telefonnummer: +44 (0)20 7379 7222
Station: Covent Garden eller Leicester Square
www.nealsyardremedies.com

Denna hälsobutik var en gång föregångare till den ekologiska rörelsen och har sedan dess behållit sina trogna kunder även om liknande butiker blir allt vanligare (hurra!). Butiken har blivit till en kedja som finns på ungefär 20 olika platser i London, de flesta med lyxiga behandlingsrum som har ett brett utbud av skönhetsbehandlingar. Här finner du även ekologiska och inhemska tvålar, badoljor, solkrämer, deodoranter och en mängd olika oljor. Det finns särskilda produkter utvecklade för barn och ett apotek med ett stort utbud av välgörande örter.

LONDON BEATLES STORE

– Best of The Beatles

Vem sade: "35 är en högst attraktiv ålder. Londons societet är full av kvinnor av ädlaste börd som av egen fri vilja har varit 35 i åratal."

Adress: 231–233 Baker Street, Regent's Park, London, NW1 6XE
Öppettider: varje dag: 10:00–18:30
Telefonnummer: +44 (0)20 7935 4464
Station: Baker Street Station
www.beatlesstorelondon.co.uk

London Beatles Store är Londons första och enda Beatles fan-shop. Här finns en mängd av Beatlesprylar: skivor, t-shirts, affischer, samlarobjekt och autografer. Här får du även information om olika platser, utflykter och andra evenemang som har med Beatles att göra.

Svar: Oscar Wilde.

LÄSKIGA LONDON
– Spökliga aktiviteter i London

LONDON DUNGEON

– Skräckkabinettet med utställningar från blodiga händelser i Londons historia

Adress: Riverside Building, County Hall, Westminster Bridge Road
Öppettider: öppet från 10:00 varje dag förutom torsdagar då Henry VIII har sovmorgon till klockan 11:00
Kostnad: £24.60 (vuxen), £19.20 (under 15 år), billigare biljetter online
Telefonnummer: +44 (0)20 7981 2550
Station: Westminster eller Waterloo
www.thedungeons.com

Vad kostar inträdet på British Museum?

Mellan Big Ben och London Eye och bredvid Sea Life Aquarium ligger London Dungeon. Här finns ruggiga utställningar om Jack the Ripper, pestens tid, Henrik VIII och Sweeny Todd. I taket dinglar 35 lösnäsor. 593 spikar krävdes för att fullända tortyrstolen och minst 50 gigantiska levande kackerlackor sällskapar med råttorna och dig när ni besöker Londons främsta skräckattraktion sedan 1974. Nog för att det känns en aning turistigt men detta är något helt annat jämfört med spökhuset på Gröna Lund. Både barn och vuxna går darrande härifrån. Självklart är det bästa tillfället att besöka skådespelet under Halloween då de levande döda slår på stortrumman i fängelsehålan.

© The London Dungeon

Svar: Det är alltid gratis.

© The London Dungeon

THE CROSSBONES GRAVEYARD

– Medeltida kyrkogård för Londons fattigaste

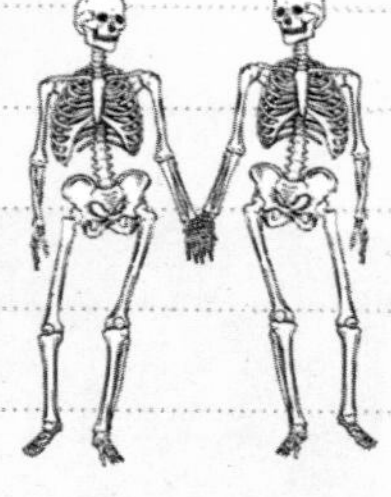

Adress: 18–22 Redcross Way, Greater London SE11
Station: London Bridge
www.crossbones.org.uk

Under medeltiden skulle London vara en plats för anständighet, hövlighet och gudfruktighet. Men i Londons förorter såg det annorlunda ut. Här fanns gott om prostituerade, sjukdomar frodades och de fattigaste hade inte rätt till kyrklig begravning. I stället dumpades människor här i massgravar. Särskilt prostituerade kvinnor hamnade här då de ansågs ha för dåligt anseende för att föräras en kyrklig begravning. Vid en utgrävning på 1990-talet fann man att platsen var översvämmad av kroppar, staplade på varandra. Ännu värre var kanske att upp till 40 procent av skeletten bestod av barnkroppar, sällan över ett år gamla. Kyrkogården visar vilka fasor som Londons fattigaste invånare genomled och varje år under Halloween hålls en minnesstund för dessa arma människor. Det röda staketet runt kyrkogården är rikligt dekorerat med hyllningar i form av blommor och vackra tygband med namn på de begravna för att vi aldrig ska glömma bort hur illa de behandlades.

HIGHGATE CEMETERY

– Eviga möten med SciFi-författare, kommunister och vampyrer

Adress: Swain's Lane, Highgate, N6, bredvid Waterlow Park
Öppettider: 10:00–17:00 vardagar 11:00–17:00 helger
Kostnad: £4 östra delen, £12 västra delen med obligatorisk guidad tur
Telefonnummer: +44 (0)20 8340 1834
Station: Archway
www.highgatecemetery.org

Vad har British Museum, Aldgate East, Marlborough Road, Lords och Aldwych gemensamt?

Svar: De är alla tidigare tunnelbanestationer.

Här vilar bland annat Douglas Adams, författaren till ”Liftarens Guide till Galaxen”, kirurgen Henry Gray som skrev ”Gray's Anatomy” (nej inte TV-serien!), Karl Marx, och författaren George Eliot. På 1970-talet började man tala om ”the Highgate Vampire” efter att det uppstått en modern myt om att en livs levande död vampyr härjade på kyrkogården i Highgate. Detta ledde till en stor vampyrjakt fredagen den 13:e mars, vilket ansågs vara ett passande datum för en sådan tillställning. Under jakten fylldes kyrkogården av människor som spanande efter den stackars blodsugaren, och inte ens polisen kunde stoppa dem. Vampyren hittades dock aldrig. Andra gengångare som osaligt irrar omkring här är en onaturligt lång man med hatt, en kvinna i vitt och en genomskinlig figur som vadar genom en damm. Man kan även höra klockor klinga och röster som kallar på en. I övrigt vistas en stor mängd igelkottar på kyrkogården vilka ej bör förväxlas med spökena.

PHANTOM OF THE OPERA

– Världens bästa spökhistoria

Adress: Her Majesty's Theatre, Haymarket, London SW1Y 4QL
Öppettider: Mån–lör: 19:30, tors + lör: matiné: 14:40, sön: inga föreställningar
Kostnad: Priser £30–70+
Biljettbokningsnummer: +44 (0)161 385 1138
Station: Piccadilly Circus eller Charing Cross
www.thephantomoftheopera.com/london

Med premiär den 9 oktober 1986 och fram till i dag har man visat Andrew Lloyd Webber's Fantomen på Operan här på Her Majesty's Theatre. Endast Les Miserables har spelats längre (sedan 1985). Biljetterna kostar en del men då ingår en fallande kristallkrona i priset. Och du... Det här är något helt annat än att se filmen.

THE OLD OPERATING THEATRE

– Don't brake a leg

Adress: 9a St. Thomas Street, London SE1 9RY
Öppettider: 10:30–17:00 varje dag
Kostnad: £6.20 (vuxen), £3.50 (barn under 16 år)
Telefonnummer: +44 (0)207 188 2679
Station: London Bridge
www.thegarret.org.uk

Här kan du se Europas äldsta operationsbord komplett med åskådarplatser. Bordet finns på vinden till St. Thomas Church, en kyrka i barockstil. På den här tiden använde man ingen bedövning, utan man utnyttjade olika tekniker för att orsaka så lite lidande som möjligt. En amputering utfördes till exempel på mindre än en minut. Kvinnor opererades inte här utan på St. Thomas Hospital som ligger i närheten. Här lär du dig en hel del om vår – smärtsamma – medicinska historia. Något som kan vara bra att veta är att det inte finns några toaletter på museet.

THE LANGHAM *****

– Besök ett av Londons mest hemsökta hotell

Adress: 1c Portland Place, Regent Street, London, GB W1B 1JA
Kostnad: rum från £384
Telefonnummer: +44 (0)20 7636 1000
Station: Oxford Circus
www.london.langhamhotels.co.uk

Motorvägen A1 börjar vid Upper Street i Islington. Den slutar 660 kilometer därifrån. Var är det?

Svar: I Edinburgh. Det är Storbritanniens längsta väg.

Ett femstjärnigt lyxhotell där det kryllar av osaliga själar. Här finns bland annat en viktoriansk läkare som mördade sin fru och sedan tog sitt eget liv, en tysk prins som hoppade ut genom ett fönster och Napoleon III som huserar i källaren. Se till att boka rum 333, där en poltergeist i form av en självlysande cirkel svävar om natten. Priset för dessa förnäma gastar? Runt £350 per sömnlös natt.

THE CLINK PRISON MUSEUM

Adress: 1 Clink St, London SE1 9DG
Öppettider: Alla dagar juli–sept: 10:00–21:00,
okt–juni: vardagar: 10:00–18:00,
helg: 10:00–19:30
Kostnad: Vuxen £7.50, barn 0–16: £5.50
Biljettbokningsnummer: +44 (0)20 7403 0900
Station: London Bridge
www.clink.co.uk

The Clink var ett ökänt fängelse i Southwark. Det var i drift från 1200-talet fram till 1780. Det är ett av de äldsta fängelserna i landet för män, och förmodligen det äldsta fängelset i landet som även hade kvinnliga fångar. Namnet ”the Clink” är antagligen ljudhärmande och kommer från ljudet av fängelsets metalldörrar eller från rasslandet av kedjorna som fångarna bar. ”The Clink” har även blivit ett slangord för fängelse och fängelsecell. I museet får du lära dig om hur fängelset sköttes och hur fångarna hade det.

JACK THE RIPPER-SPÖKVANDRING

Turen börjar utanför Tower Hill tunnelbanestation

Öppettider: Guidade turer: varje dag 19:30, lördagar även 15:00
Kostnad: £7–£9
Telefonnummer: +44 (0)20 7624 3978
Station: Tower Hill
www.jacktheripperwalk.com

Här upplever du London från dess mest makabra och spöklika sida då du vandrar i Jack the Rippers blodiga fotspår längs mörka trånga gränder i dunklet mellan gaslyktornas sken. En högst oangenäm promenad som får märg och ben att frysa till is.

5 HEMSÖKTA PUBAR I LONDON:

The Flask Tavern, Pond Square, Highgate

Adress: 77 Highgate West Hill, Camden, London N6 6BU
Öppettider: Mån–lör: 12:00–23:00, sön: 12:00–22:30
Telefonnummer: +44 (0)20 8348 7346
Station: Highgate
www.theflaskhighgate.com

En riktigt bra pub har ett husspöke eller två, så även The Flask. En spansk barflicka går igen här. Hon hängde sig nere i källaren för att hon var olyckligt kär i pubens ägare. Här finns även en annan osalig själ: en man klädd i engelska kavalleriets uniform som går tvärs över rummet och sedan försvinner in i en pelare.

Varje år sedan 1947 skickar Oslo en present till London vid juletid. Vad är det för present?

Svar: De skickar en julgran som ställs vid Trafalgar Square. Det är en tacksamhets present för att engelsmännen stöttade Norge under Andra Världskriget.

SPANIARD'S INN, HAMPSTEAD

Adress: Spaniard's Road, London NW3 7JJ
Öppettider: Mån–tis: 12:00–23:00, ons–fre: 12:00–24:00, lör: 10:00–24:00, sön: 12:00–22:30
Telefonnummer: +44 (0)20 8731 8406
Station: Golders Green
www.thespaniardshampstead.co.uk

Här spökar den tidigare ägaren Juan som mördades här och begravdes i närheten av puben. Dessutom bor ett vitklätt kvinnligt spöke i trädgården och en gammal rånare som brukade gömma sig på puben kan höras i rummen på övervåningen. Spaniard's Inn omnämns både i Charles Dickens "The Pickwick papers" och Bram Stokers "Dracula". Poeterna lord Byron och John Keats brukade också hänga här. Stoker använder de spöken som hemsöker puben i boken om Dracula.

THE VOLUNTEER, BAKER STREET

Adress: 245–247 Baker St, London NW1 6XE
Öppettider: Sön–fre: 12:00–24:00, lör: 10:00–24:00
Telefonnummer: +44 (0)20 7486 4091
Station: Baker Street
www.thevolunteernw1.co.uk

På söndagarna serveras Sunday Roast och sällskapsspel på The Volunteer. Det låter ju nu inte särskilt spökligt. Dock var byggnaden en gång hem för den mäktige Richard Neville och hans familj. Richard själv håller fortfarande uppsikt över huset och svassar runt som odödligt – men mycket välklätt – spöke om nätterna vilket brukar skrämma slag på de anställda.

The Grenadier Pub

Vilken svensk stad kallas ibland för "Lilla London"?

THE GRENADIER PUB, WILTON ROW

Adress: 18 Wilton Row, Belgrave Square, London SW1X 7NR
Öppettider: alla dagar: 12:00–23:00
Kostnad: £7–£9
Telefonnummer: +44 (0)20 7235 3074
Station: Hyde Park Corner

Ett spöke har setts krypa tyst i taket på puben. Djupa suckar och stönanden kommer från källarens djup. För att blidka spöket – som tros vara en ung man som blev påkommen med att fuska i poker och därefter mördades av sina medspelare – sätter gästerna fast pengar i taket, men spöket fortsätter envist att hemsöka puben.

Svar: Göteborg.

THE OLD QUEENS HEAD, ISLINGTON

The Flask Tavern, Pond Square, Highgate

Adress: 44 Essex Road, London N1 8LN
Öppettider: Öppettider: Mån–ons + sön: 12:00–24:00, tors: 12:00–01:00, fre–lör: 12:00–02:00
Telefonnummer: +44 (0)20 7354 9993
Station: Angel
www.theoldqueenshead.com

Detta är en cool pub där man hedrar sina gamla spökhistorier genom dödskallar under glaskupor och läskiga dockor som prydnadsföremål. Hit kommer man även för att lyssna på spännande livemusik och dj-spelningar med lokala talanger. Här möts inte bara levande utan också levande döda. Spöken som setts här är sir Walther Raleigh och en ung flicka i sällskap av en kvinna. Många har hört spökenas springande fotsteg på övervåningen. Flickan gråter och smäller i dörrar. Kvinnan som sällskapar med flickan ses oftast den första söndagen i månaden klädd i en vacker klänning.

The Old Queens Head

ANDRA LÄSKIGHETER

WORLD ZOMBIE DAY

– Hylla de levande döda med en zombie walk

Kolla in hemsidan för att se vilket datum zombierna vaknar till liv i år. Under denna dag vandrar ett stort antal zombies genom centrala London och äter vad de kommer åt. Alla – utom de som är för rädda – får vara med!

www.worldzombieday.co.uk

WORLD ZOMBIE DA
LONDON
www.worldzombieday.co.uk

År 1968 såldes London Bridge, uppförd på 1800-talet. I vilken stat i USA kan man i dag se den gamla Themsenbron återuppbyggd?

ALEX LANE

ALEX LANE

Foto byline Alex Lane & World Zombie Day

Svar: Arizona, USA.

Foto byline Alex Lane & World Zombie Day

HAUNTED TATTOOS

– Gör en skräckinjagande tatuering

Adress: 159 Holloway Road, N7 8LX, London
Öppettider: Mån–lör: 12:00–19:00, sön: 12:00–18:00
Telefonnummer: +44 (0)207 609 6276
Station: Highbury Islington
www.hauntedtattoos.com

Detta är en tatueringssalong som inriktar sig speciellt på skräcktatueringar: zombies, dödskallar, gotiska bokstäver, Frankenstein, vampyrer och annat fantastiskt blodigt. Tänk på att du kanske inte kan bli blodgivare i Sverige om du har tatuerat dig utomlands.

2.8 HOURS LATER, THE ZOMBIE STREET GAME

– Bli jagad av zombies under 2,8 timmar

Adress: hemlig
Datum: se tillgängliga datum i London på hemsidan
Kostnad: £28–38
Biljettbokning: boxoffice@slingshoteffect.co.uk
Station: Var och när spelet börjar står endast på din biljett
www.2.8hourslater.com

Företaget Slingshot (slingshoteffect.co.uk) anordnar olika gatuspel där du får i uppdrag att till exempel överleva zombieapokalypsen. Du förs till en hemlig plats i centrala London och ska sedan ta dig till målet utan att bli uppäten av zombies på vägen. Platsen du ska hitta är Zombiediscot – världens sista disco innan jordens undergång. Om du inte vill bli jagad kan du istället anmäla dig till Zombie School och bli en av zombierna som jagar andra spelare – det är gratis och professionell sminkning ingår. Obs: Lämna klackskorna hemma för du måste kunna springa för livet!

SPÖKBEBODDA HUS

The Queen's House, Romney Road. Greenwich
Fotografera trappan och föreviga en vålnad i flykt.

Sutton House, 2–4 Homerton High Street
Ylande hundar och Vita damens skimrande gestalt som dog i barnsäng då hon födde tvillingar 11 maj 1574.

"London Calling" heter en låt, och en LP-¬skiva, utgiven av ett berömt London-punkband på 1970-talet. Vad hette gruppen?

Svar: The Clash.

Handel's House Museum, 25 Brook Street. Mayfair

Dödsfall 1759 i det övre sovrummet samt en väldoftande kvinnlig ande som får världen att svaja till när du ser henne.

Hampton Court Palace, East Molesey, Surrey

Henrik den VIII:s hemvist, gastar går genom väggar, skriker hjärtskärande och öppnar dörrar för dig. Här kan du även övernatta på hotellet.

Amy Whinehouse's lägenhet, 30 Camden Square, London

Amy flummar omkring i sin tidigare lägenhet i Camden. Det är sant för det har Pete Doherty sagt.

HEMSÖKTA TUNNELBANESTATIONER

Vauxhallstationen, abnormt långdragen ande i brun overall.

South Kensingtonstationen, spöktåg som dundrar genom stationen och försvinner i tomma intet.

Bakerloolinjen, reflektioner i tågens fönsterrutor av personer som inte sitter i tågvagnen.

Embankmentstationen, dörrar öppnas av sig själva och omänskliga ljud har rapporterats.

Covent Garden, hemsöks av skådespelaren William Terriss vålnad. William Terris spelade Robin Hood och knivhöggs till döds på Adelphi Theatre av en avundsjuk kollega.

LITTERÄRA LONDON

– Någon för alla läshuvuden

Daunt B

France
MAPS

Women's Library

The Broadway Book Shop

WOMEN'S LIBRARY

Adress: London Metropolitan University, Old Castle Street, London E1
Öppettider: Mån: + tors–fre: 10:30–17:00, tis–ons: 10:30–19:00,
lör: varierande, sön: stängt
Kostnad: Gratis
Telefonnummer: +44 (0) 20 7955 7229
Station: Aldgate East
www.londonmet.ac.uk/thewomenslibrary

Vilken yrkesgrupp måste göra testet "The Knowledge" innan de kan utöva sitt yrke?

I detta bibliotek, som är en del av London Metropolitan University, finns en fantastisk samling av alla typer av böcker och artiklar som dokumenterar olika aspekter ur kvinnors liv. Särskild betoning har biblioteket förstås lagt på kvinnors liv i Storbritannien och på de politiska, ekonomiska och sociala förändringar som har skett de senaste 150 åren. I arkiven och i museisamlingen finns över 5 000 föremål, bland annat fotografier, affischer, banderoller, textilier och keramik. Det finns en läsesal som är öppen för allmänheten.

Svar: Taxichaufför.

THE BROADWAY BOOK SHOP

Adress: 6 Broadway Market, London E8 4QJ
Öppettider: Mån–lör: 10:00–18:00, sön: 11:00–17:00
Telefonnummer: Telefonnummer: +44 (0)20 7241 1626
Station: Haggerston eller London Fields
www.broadwaybookshophackney.com

Välkomna till en liten genuin bokhandel på Broadway Market i Hackney. Här har man specialiserat sig på romaner men det finns även poesi, filosofi, politik, biografi, resor, konst, mode, musik och barnböcker. Varje månad tipsar de sina kunder om en ny bok. De anordnar även utställningar på olika teman i butiken. Personalen är vänlig och kunnig och hjälper dig gärna att hitta just den bok du söker efter, oavsett om det är en enkel pocket att läsa på vägen hem eller om du söker efter ett samlingsexemplar av din favoritroman.

NOMAD BOOKS

Adress: 781 Fulham Road, London SW6 5HA
Öppettider: Mån–fre: 9:00–18:30, lör: 9:30–17:30, sön: 11:00–16:30
Telefonnummer: +44 (0)20 7736 4000
Station: Parsons Green
www.nomadbooks.co.uk

Detta är en av Londons mest populära oberoende bokhandlare och butiken har funnits i drygt 20 år. Här finns tusentals böcker och är det någon särskild bok du vill ha kan du ringa i förväg och beställa den. Bokhandeln har en stor barnavdelning och anordnar poesiläsningar, flera bokklubbar och sagoberättarkvällar för barn. I butiken finns även ett kafé där du kan sitta och läsa i ditt nyaste inköp.

DAUNT BOOKS

Adress: 83 Marylebone High St, London W1U 4QW
Öppettider: Mån–lör: 9:00–19:30, sön: 11:00–18:00
Telefonnummer: +44 (0)20 7224 2295
Station: Baker Street eller Regent's Park
www.dauntbooks.co.uk

Daunt Books har sedan länge varit känt som Londons bästa resebokhandel, men de har även ett stort utbud av romaner, historiska böcker, biografier, romaner, noveller och deckare. De anordnar även olika events till exempel en vårfestival med författarbesök. Daunt Books har filialer i Chelsea, Holland Park, Cheapside, Hampstead och Belsize Park.

GAY'S THE WORD

– Världens största gaybokhandel

Vad kallade romarna London?

Adress: 66 Marchmont Street, London, WC1N 1AB
Öppettider: Mån–fre: 11:00–19:30, lör–sön: 10:00–20:00
Telefonnummer: +44 (0)20 7278 7654
Station: Russel Square
www.gaystheword.co.uk

Denna bokhandel inriktar sig på litteratur om och av HBTQ (homo- och bisexuella samt trans- och queerpersoner). Bokhandeln grundades 1979 och har delvis hotats av nedläggning då hyrorna i Camden höjdes drastiskt 2010. I lagret finns skönlitteratur, historia, biografier, mer specialiserade studier i queerteori, sex och relationer, barn- och föräldrastudier. Gay's the Word anordnar även författaraftnar och diskussionsgrupper.

Svar: Londonium.

Daunt Books

Daunt Books

HATCHARDS

– Londons äldsta bokhandel

Adress: 187 Piccadilly, London W1J 9LE
Öppettider: Mån–lör: 9:30–19:00, Sön: 12:00–18:00
Telefonnummer: +44 (0)20 7439 9921
Station: Piccadilly Circus
www.hatchards.co.uk

Denna bokhandel har funnits sedan 1797 och är därmed den äldsta bokhandeln i London. Här finns en stor mängd böcker, många specialutgåvor och signerade exemplar. På två våningar trängs böcker från golv till tak. En skattkista för bokfantaster och bokslukare. Hit kommer även många författare för att signera sina böcker. Kontakta affären eller gå in på hemsidan för att se vad som är på gång under din Londonvistelse.

MAGGS BROS LTD

– Ett av världens största antikvariat

Adress: 50 Berkeley Square, London W1J 5BA
Öppettider: Mån–fre: 9:30–17:00, lör–sön: stängt
Telefonnummer: +44 (0)20 7493 7160
Station: Green Park
www.maggs.com

1975 köpte den framtida amerikanska presidenten Ronald Reagan något underligt på Harrods, vad för något?

Bokhandeln öppnade redan 1853 och ligger nu i ett gammalt 1700-talshus där det sägs att det spökar. Två Gutenbergska biblar har funnits i bokhandelns ägo. Här finns böcker på en mängd europeiska språk och man är stolt över att både ha många klassiska samlingsverk samtidigt som man följer med i utvecklingen med nyutgivna titlar, ljudböcker och liknande.

POETS' CORNER @ WESTMINSTER ABBEY

– Många poeter och författares gravplats

Adress: 20 Deans Yard, London SW1P 3PA
Öppettider: Mån–lör: 9:30–15:30, sön: endast öppet för bön
Kostnad: Gratis
Telefonnummer: +44 (0)20 7222 5152
Station: Westminster eller St. James Park
www.westminster-abbey.org/visit-us/highlights/poets-corner

En av de mest kända delarna av Westminster Abbey är Poet's Corner där många av Storbritanniens framstående författare, dramatiker och poeter ligger begravda. Platsen var inte ursprungligen avsedd just för kulturpersonligheter, den första poet som begravdes här – Geoffrey Chaucer – fick sin sista vila i Westminster Abbey därför att han hade kopplingar till kyrkan och inte för att han skrivit The Canterbury Tales.

Svar: En elefantunge.

Lord Byron dog 1824, men fick endast ett minnesmärke i kyrkan 1969, eftersom han levde ett skandalomsusat liv. William Shakespeare är begravd i Stratford-upon-Avon men fick ett monument rest efter sig i Poet's Corner 1740. Bland de som ligger begravda här kan nämnas Charles Dickens, Rudyard Kipling och Thomas Hardy. Andra som har tilldelats minnesmärken i kyrkan, men är begravda på andra platser är Jane Austen, William Blake, Lewis Carroll, T.S. Eliot, Oscar Wilde, John Milton bland många många fler.

LITTERÄRA PROMENADER I DIN FAVORITFÖRFATTARES FOTSPÅR

Kostnad: Vuxen £9, pensionär £7
Telefonnummer: +44 (0)20 7624 3978
Förinspelad information: +44 (0)20 7624 9255
www.walks.com

Företaget London Walks anordnar en mängd olika författarpromenader där du får följa i Harry Potters, Sherlock Holmes, Charles Dickens, Oscar Wildes eller William Shakespeares fotspår. Man behöver inte boka promenaderna i förväg utan kan bara dyka upp på den station som omnämns. Populära Harry Potter London Town Tour hålls varje lördag klockan 14:00 och avgår från Westminster Abbey tunnelbanestation, utgång 4.

LUSTIGA LONDON

– Något utöver det vanliga

The Fitzrovia radio H

Foto byline: thelondonsockexchange

Women's Library

THE COMEDY STORE

– Välrenommerad komediklubb

Adress: Haymarket House, 1a Oxendon Street, London SW1Y 4EE
Öppettider: Mån: stängt, tis–tors: 18:30, fre–lör: 18:00 & 22:00, sön: 18:00
Kostnad: £16–24 för olika datum
Telefonnummer: +44 (0)844 871 7699
Station: Piccadilly Circus
www.thecomedystore.co.uk

Vad har Montague John Druitt, Seweryn Kłosowski, Francis Tumblety och Aaron Kosminski gemensamt?

Under de 32 år som The Comedy Club har satt upp komedishower har en mängd kända komiker stått på scenen, till exempel Jerry Seinfeld, Chris Rock, Eddie Izzard, Mike Myers, Jack Dee, Jo Brand, Stephen K Amos, Lee Nelson, Lee Evans, Lee Mack, Julian Clary, Rhod Gilbert och Michael McIntyre. Klubbens motto är att gästerna ska ”förvänta sig det oförväntade”. Man håller olika shower varje kväll, och det kan vara bra att gå in på hemsidan för att boka plats.

Svar: De har alla blivit misstänkta för att vara Jack the Ripper.

HIP HOP KARAOKE @ THE SOCIAL

– Rappa som Eminem och Snoop Dog

Adress: 5 Little Portland St, London W1W 7JD
Öppettider: karaoke torsdagar: 19:00–01:00
Kostnad: £5, övervåningen Gratis
Telefonnummer: +44 (0)20 7636 4992
Låtönskningar: robin.pursey@gmail.com
Station: Oxford Circus eller Goodge Street
www.hiphopkaraoke.co.uk
www.thesocial.com

På torsdagar klockan 19:00 går alla wannabe-hiphoppare till The Social för att bli stjärnor för en kväll. Erkänn att du någon gång önskat att du var Missy, Eminem eller Snoop Dogg ... Nu har du chansen att förverkliga dina rapfantasier. En gratisöl till alla som sjunger och chans att vinna fina priser till de som vågar ställa sig på scen. Se till att komma i tid – stället är oftast smockat.

THE CIRCUS SPACE

Adress: Circus Space, Coronet Street, London N1 6HD
Öppettider: Mån–fre: 9:00–22:00, lör–sön: 10:00–18:00, kurser: 14:30–17:45
Kostnad: £69
Telefonnummer: +44 (0)20 7613 4141
Station: Old Street
www.thecircusspace.co.uk

I ett gammalt viktorianskt kraftverk ligger en av Europas ledande cirkusskolor. Som nybörjare kan du boka en Experience Day där du får prova på trapets, jonglering, akrobatik med mera. Det finns kurser och workshops för både vuxna och barn.

THE FAN MUSEUM @ GREENWICH

– Luftigt fläktmuseum

Adress: 12 Croom's Hill, London SE10 8ER
Öppettider: Mån: stängt, tis–lör: 11:00–17:00, sön: 12:00–17:00
Kostnad: Vuxen: £4.00, student och barn 6–17 år: £3.00, barn under 7 år: Gratis
Telefonnummer: +44 (0)20 8305 1441
Station: Greenwich Station
www.thefanmuseum.org.uk

Här finns över 4 000 antika fläktar, solfjädrar och kylningsanordningar från hela världen. Fläktarna presenteras i ett historiskt, sociologiskt och ekonomiskt sammanhang. Visst låter det helgalet? Saken är den att dessa unika objekt tjänat många syften under århundradena, som kylning, ceremoniella accessoarer, modetillbehör, statussymboler, jubileums- eller reklampresenter. Gå hit och känn historiens vingslag fläkta.

THE FITZROVIA RADIO HOUR

Telefonnummer: +44 (0)7722 798780
Mail: mail@fitzroviaradio.com
www.fitzroviaradio.com

Vad är Brick Lane, Columbia Road, Petticoat Lane och Portobello Road alla kända för?

The Fitzrovia Radio Hour bildades 2008 och består av en grupp brittiska komediförfattare – Jon Edgley Bond, Alix Dunmore, Alex Ratcliffe, Phil Mulryne, Tom Mallaburn och Martin Pengelly. Gruppen producerar ett radioprogram i 1940-talsstil. Under inspelningen kan man komma som publik och se gruppen spela in showen live iförda tidstypiska kläder från 40-talet. Varje show är en timme lång och innehåller vanligtvis tre berättelser ofta i genrerna skräck, äventyr, science fiction och romantik uppblandat med reklam för whisky, cigaretter och stout. Se hemsidan för datum och biljetter under ditt Londonbesök.

Svar: Sina marknader.

DISCO LOCO IN HACKNEY

– Familjedisco

Adress: Bethnal Green Working Men's Club, 42-46 Pollard Row, London E2 6NB
Öppettider: första söndagen varje månad: 15:00–18:00
Kostnad: Vuxen: £4.00, barn: Gratis
Telefonnummer: +44 (0)207 739 7170
Anmälan: discolocohackney@gmail.com
Station: Bethnal Green
www.discoloco.org

I London behöver man inte lämna barnen hemma när man går ut och klubbar. Om man menar "söndagsklubbing" under tre timmar på eftermiddagen alltså. Disco Loco är ett familjedisco som spelar musik som både barn och vuxna kan dansa till – utan att vara något barnsligt babydisco. Här erbjuds dans, snacks, dryck och sällskapsspel i barnvänlig miljö. Barnen är oftast mellan 0–8 år men alla är välkomna. Här kan man även boka in sitt barns födelsedagskalas. Det finns barnvänliga faciliteter som bemannad barnvagnsgarderob, skötbord och barnmeny i baren. Ljudnivån är strikt kontrollerad av en ljudingenjör.

Foto byline: thelondonsockexchange

© smallcarBIGCITY

PRIVATE CLASSIC MINI COOPER TOUR OF LONDON

– Gör London i Mr Bean-bil

Adress: 8 Northumberland Avenue, Trafalgar Square, London WC2N 5BY
Kostnad: £54 per bil (3 passagerare får plats i varje bil)
Telefonnummer: +44 (0)2078 396 737
Upphämtningsplats: St James's Park, utanför The Old Star Pub
www.smallcarbigcity.com

Upptäck London genom att hyra en Mini Cooper med chaufför! Guider iklädda 1960-talskläder kör dig till de absolut bästa platserna i London. Du kan välja mellan en mängd olika turer: "Royal London", "The A-list Tour" eller "The Italian Job" till exempel. Det är billigare att boka lite längre turer. London baby!

Svar: Harrods Departement Store.

Foto byline: dolly power & Mark Box Photography

SHAKE, RATTLE & BOWL

– Retroklubb med dans, middag och bowling i ett

Adress: All Star Lanes, Victoria House, Bloomsbury Place, London WC1B 4DA
Öppettider: Öppettider: Lördagar: 20:00–02:00
Kostnad: Gratis entré, bowling: £8.95 per person och spel
Telefonnummer: +44 (0)20 7025 2676
Station: Holborn
www.shakerattleandbowl.com

Var i London finner du mottot: Omnia Omnibus Ubique (All Things for All People, Everywhere)?

Detta är ett lördagsevent som passar för stora sällskap som vill umgås genom att äta middag, dricka drinkar och bowla. En DJ spelar rock n'roll, Motown och garagerock från 1950-talet. Vill du både bowla och äta är det bra att göra sin bokning ungefär två veckor i förväg men det går också att komma in och se om det finns några lediga banor – kom i tid då bowlinghallen fylls upp snabbt av lokala Londonbor. Vill ni inte bowla kan ni besöka stället som vilken gratisbar som helst.

THE DESSERT BAR @ THE WILLIAM CURLEY BELGRAVIA BOUTIQUE

– Hoppa över middagen, gå direkt på efterrätten

Adress: 198 Ebury St, Belgravia, London SW1W 8UN
Öppettider: Endast lör–sön. Lör: 13:00–19:00, Sön: 13:00–17:00
Kostnad: Efterrättsmeny från £20/person
Telefonbokning: +44 (0)208 538 9650
Station: Sloane Square
www.williamcurley.com/page/Dessert+Bar

Under helger året runt serveras efterrättsmenyer på The William Curley som ett sött alternativ till engelskt afternoon tea. Gå hit för att njuta av vackra, välsmakande efterrätter gjorda på naturliga ingredienser. Ingen bokning behövs, utan först till kvarn gäller. Notera dock att efterrättsbaren endast är öppen på helger och att sista beställning skall göra en timme innan stängning.

BROADGATE ICE SKATING RINK

– London on ice

Adress: Exchange Square, Primrose St, London EC2A 2BQ
Öppettider: Varje dag: 10:00–22:00
Kostnad: En timmas åkning inkl. skridskohyra: vuxen: £12.50, barn 4–13: £8.50
Telefonnummer: +44 (0)845 653 1424
Station: Liverpool Street
www.broadgate.co.uk/ice

Världens största leksaksaffär ligger på Regent Street. Vad heter affären?

Vintertid kan du ta en skridskotur på Broadgate Ice Rink. Här finns skridskor att hyra för både barn och vuxna. När ni har åkt färdigt finns grillrätter från kolgrillen på BAR BBQ on Ice samt varma och kalla drycker i baren. I närheten finns affärer, barer, caféer och restauranger samt en större utställning av street-art att underhålla sig med.

Svar: Hamleys.

GALA BINGO HALL @ TOOTING

– Bingolotto på engelskt vis

Adress: 50 Mitcham Road, London SW17 9NA
Öppettider: Mån–lör: 10:30–23:00, sön: 11:30–23:00
Kostnad: Mellan £2–10 beroende på tillfälle
Telefonnummer: +44 (0)20 8672 5717
Station: Tooting Broadway
www.galabingo.com/clubs/tooting

I över 20 år har Gala Bingo varit en av Storbritanniens största kasinokedjor med 143 olika bingohallar och över fem miljoner medlemmar. På hemsidan kan du söka efter din närmaste bingohall. På Gala Bingo i Tooting finns inte bara bingospel utan även enarmade banditer, restaurang och bar. Åk hit för en annorlunda upplevelse av Londons kulturliv.

The William Curley Belgravia Boutique

THE SAAB ICE WALL/VERTICAL CHILL

– Isklättring i centrala London

Adress: Tower House, 10–12 Southampton St, Covent Garden, London, WC2E 7HA
Öppettider: Mån: stängt, tis–fre: 11:30–18:30, lör: 10:00–18:00, sön: 12:00–17:00
Kostnad: £50/person och timme klättring, inkl. all utrustning och instruktör
Telefonnummer: +44 (0)207 395 1010
E-mail: vertical.chilllondon@ellis-brigham.com
Station: Covent Garden
www.vertical-chill.com

Det trodde du kanske inte – att du skulle klättra på ett isberg i centrala London? Nu har du i alla fall chansen. Nybörjare såväl som erfarna klättrare är välkomna, det blir lite billigare om du redan kan klättra. Det är bäst att ringa eller maila enligt ovan för att boka in en tid för klättring. I klättringsutrustningen som ingår får du vattentäta ytterkläder, ishacka, stegjärn, selar, hjälm, skyddsglasögon och handskar. Det kan vara bra att ha en t-shirt och sockor som ombyteskläder efteråt. Se till att du har bra skor, samt kläder som klarar -5°. Fråga personalen i god tid innan din klättring om du har rätt utrustning.

THE ROYAL LONDON HOSPITAL MUSEUM

– Här finns Elefantmannens skelett

Adress: St. Philip's Church, Newark Street, London E1 2AA
Öppettider: Öppettider: Lör–mån: stängt, tis–fre: 10:00–16:30
Kostnad: Gratis
Telefonnummer: +44 (0)207 377 7608
Station: Whitechapel
www.medicalmuseums.org/Royal-London-Hospital-Museum-and-Archives

Svar: Leicester Square.

Sjukhuset grundades 1740 och blev Londons största volontärsjukhus. I kryptan i St Philipskyrkan berättas om sjukhusets historia. Utställningarna innefattar tandvård, kirurgi, pediatrik, omvårdnad, uniformer, en helikopterambulans, röntgen och här finns även kvarlevorna efter Joseph Merrick, även känd som Elefantmannen. Han tillbringade sina sista år på sjukhuset. Dock får man inte se på hans skelett men besökare får läsa och höra om hans livshistoria. Det finns även en rättsmedicinsk avdelning som inrymmer originalmaterial från mordutredningen om Jack the Ripper och andra engelska mordhistorier ur det förflutna.

Var i London kan du hitta William Shakespeare, Isaac Newton, Joshua Reynolds, William Hogarth och Charlie Chaplin på samma plats?

HOUSE OF WOLF

– Multifunktionellt lustslott för middag och nattliga eskapader

Adress: 181 Upper St, London N1 1RQ

Öppettider: Mån: stängt, tis–tor + sön: 18:00–02:00, fre–lör: 18:00–04:00

Kostnad: varmrätt från £12, cocktail från £8.50

Telefonnummer: +44 (0)20 7288 1470

Station: Highbury & Islington

www.houseofwolf.co.uk

Vilket känt skivbolag startades på en pråm förtöjd vid Regents Canal i Little Venice?

House of Wolf är en restaurang, bar och underhållningsvilla på tre våningar. Den öppnade så sent som 2012 men villan har på kort tid blivit mycket populärt. Här presenterar en mängd spännande kockar sina unika recept och gastronomiska rätter. På första våningen finns en bar som serverar experimentellt elixir i cocktailväg. På de två översta våningarna serveras mat. Här hålls en mängd olika evenemang, som litterära salonger och kreativa workshops, spelningar eller klubbkvällar med kabaré och burlesk som tema. I inredningen blandas modern design med viktoriansk stil; vilket liknar steampunk (då man blandar estetik från industriella revolutionen med saker av mer futuristisk karaktär). Vi rekommenderar för övrigt den bärbara cocktailen som serveras tillsammans med en diamantprydd guldkedja som du kan hänga runt halsen. Det kan vara riktigt svårt att få en bordsreseration så se till att planera ditt besök i god tid.

Svar: Virgin Records.

THE HORSE HOSPITAL

– Besök högkvarteret för engelsk popkultur

Adress: Colonnade, Bloomsbury, London WC1N 1JD
Öppettider: Mån–lör: 12:00–18:00, kvällsevent: mån–lör: 19:30–23:00
Kostnad: Varierande från £7
Telefonnummer: +44 (0)20 7833 3644
Station: Russell Square
www.thehorsehospital.com

The Horse Hospital är en plats för progressiv kultur inom media, film, mode, musik och modern konst. Här anordnas konstutställningar, litterära event, spoken word, underjordiska filmvisningar och olika performence arts. Ursprungligen var detta faktiskt ett verkligt hästsjukhus där man behandlade arbetshästar som jobbade vid kanalerna. Platsen har en unik atmosfär och har varit skådeplats för en mängd avantgarde-events inom punk och underground sedan det öppnade 1992. I konstgalleriet ställs en mängd konstnärer ut och till skillnad från de flesta gallerier är alla välkomna att ansöka om att få ställa ut sin konst här. Här finns även The The Contemporary Wardrobe Collection med kläder från filmer som Sid & Nancy med mera. Läs på hemsidan och boka in dig på det evenemang du är intresserad av.

Vilka yrken är traditionellt förknippade med Fleet Street, Hatton Garden och Saville Row?

Svar: Journalistik/Tidningar, juvelerare och skräddare.

DESIGNER/MAKERS MARKET

– Designmarknad för engelska designers

Adress: Old Spitalfields Market, 16 Horner Square, Spitalfields, London E1 6EW
Öppettider: tredje lördagen varje månad: 11:00–17:00
Kostnad: Gratis
Telefonnummer: +44 (0)20 7247 8556
Station: Shoreditch High Street
www.designersmakers.com

Här kan du uppleva några av Storbritanniens mest talangfulla designers och kreatörers verk inom keramik, smycken, mode och textilier. Marknaden har funnits sedan november 2011 och har snabbt blivit den bästa marknaden för modern design och hantverk i London. Du handlar direkt av designern och får därmed en historia bakom din vara.

The Horse Hospital

THE CASTLE CLIMBING CENTRE

– Testa inomhusklättring i ett gammalt slott från 1850-talet

Adress: Green Lanes, Stoke Newington, London N4 2HA
Öppettider: Mån–fre: 12:00–22:00, lör–sön: 10:00–19:00,
helgdagar: 10:00–22:00
Kostnad: Gästklättrare: £18 inkl. registreringsavgift (£5)
Telefonnummer: +44 (0)20 8211 7000
Station: Manor House
www.castle-climbing.co.uk

Här kan nybörjare som erfaren, barn som vuxen klättrare testa de olika klättringsutmaningarna i en unik miljö. Det finns fyra våningar med olika färggranna klätterväggar som kan bestigas på över 450 sätt.
Det finns möjlighet att hyra instruktör och efteråt kan ni pusta ut på kaféet i byggnaden. Detta är en heldagsupplevelse för alla som gillar att ta sig uppåt här i världen.

SPEAKER'S CORNER

– Ta bladet från munnen och proklamera din åsikt

Adress: Marble Arch, Hyde Park, London W2 2EU
Öppettider: Söndagar: 12:30 och 16:30
Kostnad: Gratis
Telefonnummer: +44 (0)7533 098035
Station: Marble Arch
www.speakerscorner.net

H. Gordon Selfridge grundare av Selfridge och Co. Grundade ett uttryck som alla i butiks- och återförsäljningsvärlden har hört, vilket var uttrycket?

Svar: "Kunden har alltid rätt."

Speaker's Corner finns faktiskt lite överallt i Londons olika parker, men den mest klassiska platsen är den i det nordöstra hörnet av Hyde Park. Platsen skapades 1855 då parkbesökarna var mycket upprörda över en lag som förbjöd handel på söndagar, den enda dag de var lediga. I dag är Speaker's Corner främst en plats för förespråkare för idéer som faller i skymundan i media, men under årens lopp har även en lång rad mer namnkunniga talare stämt upp sin röst i Hyde Park, däribland Karl Marx, Vladimir Lenin, George Orwell och William Morris. Säkerligen har du en fråga du brinner för som borde föras fram i hetluften. Du får fortsätta tala så länge som polisen inte ingriper, men polisen är oftast tolerant och avbryter endast om det kommer många klagomål eller om talen är obscena eller opassande.

CLOWN GALLERY & MUSEUM

– Något för alla clownfantaster

Adress: Beechwood Road, London E8 3DY
Öppettider: Första fredagen varje månad: 12:00–17:00
Kostnad: Gratis
Telefonnummer: +44 (0)20 8211 7000
Station: Dalston Junction Overground
www.clowns-international.co.uk

Clown Gallery & Museum är ett litet galleri som visar fotografier, rekvisita och kostymer tillhörande några av Storbritanniens mest kända clowner.
Inom clownsamfundet har det varit en oskriven lag att ingen clown får ha samma sorts ansiktssminkning som en annan clown. För att garantera att ingen efterapade någon annan skulle varje clown måla sitt ansikte på ett ägg och här på Clown Museum finns över 200 av dessa ägg utställda. Museet har endast öppet den första fredagen i varje månad. Se även hemsidan för olika evenemang som involverar clowner.

DELTA FORCE PAINTBALL

– Döda zombier eller pirater som heldagssysselsättning

Adress: Aveley Road, Upminster, Essex, RM14 2TN
Öppettider: Heldag: 9:15–16:30
Kostnad: Från £10
Telefonnummer: +44 (0)844 477 5115
Station: Upminster (+ taxiresa till centret som ligger 45 minuter bort)
www.paintballgames.co.uk

Delta Force Paintball är världens största paintballföretag med över fyra miljoner spelare genom tiderna. Det finns 12 olika spelzoner utanför centrala London där du och dina vänner kan boka in en match. Du kan exempelvis gå in i en zombievärld, gå ombord på skeppet ”The Black Pearl” från Pirates of the Caribbean eller strida i ett riddarslott uppbyggt i skogen. Du måste göra en bokning för att få spela, och det kan ta någon timme att ta sig ut till de olika banorna. På Delta Force hemsida får du onlinehjälp direkt över en chatt.

MARIKA'S KITCHEN PIE MAKING CLASSES

– Lär dig baka paj

Adress: Central Street cookery school, 90 Central Street, London EC1V 8AJ
Öppettider: Sunday pie club (söndagar): 11:00–15:00, After work pie club (vardagar): 18:00–22:00
Kostnad: 4-timmars pajskola £60.00/person
Telefonnummer: +44 (0)7866 122326
Station: Old Street
www.marikas-kitchen.com

Vilket hotell sägs vara den dyraste i London?

Svar: The Lanesborough på Hyde Park Corner, Knightsbridge.

Älskar du mat och vill lära dig någonting nytt? På Marikas matlagningskurser får upp till 16 personer lära sig att göra en egen engelsk paj. Det finns olika sorters kurser med grekisk, vegetarisk eller medelhavsinriktning. Mindre kurser med fyra deltagare erbjuds även. Se detta som en unik chans att lära dig att laga mat på engelskt vis. Notera att avbokning måste göras senast två veckor innan kurstillfället, annars dras 35 procent av summan du har betalat. Kom minst 15 minuter innan kursens början.

VICTORIA & ALBERT MUSEUM OF CHILDHOOD

– Du blir aldrig för gammal för leksaker

Adress: Cambridge Heath Road, London E2 9PA
Öppettider: Varje dag: 10:00–17:45
Kostnad: Gratis
Telefonnummer: +44 (0)20 8983 5200
Station: Bethnal Green
www.museumofchildhood.org.uk

I detta leksaksmuseum kan du utforska en mängd olika attiraljer från barndomen: leksaker, design för barn, mode, spel och multimedia. Hit vallfärdar över 400 000 människor – äldre som yngre – varje år för att få (åter)se alla de saker som hörde barndomen till. Museet representerar barndomen som den har sett ut från 1600-talet fram till i dag. Väl värt ett besök för den lekfulle turisten.

Var hittar du the Cabinet Room, the Map Room och the Transatlantic Telephone Room?

Svar: The Churchill War Rooms museum i Whitehall.

VINTAGE MOBILE CINEMA

– Hyr en mobil biograf

Adress: Central Street cookery school, 90 Central Street, London EC1V 8AJ
Adress: De åker var du vill, även utomlands
Kostnad: Varierande
Telefonnummer: +44 (0)7809 640714
www.vintagemobilecinema.co.uk/cinema-hire

Om du är på en litet mer speciell resa i London, kanske till och med en möhippa eller en svensexa, kan det vara riktigt festligt att hyra en mobil bio. Vintage Mobil Cinema hyr ut en buss med inbyggd bio! Företaget erbjuder en unik upplevelse utöver det vanliga – självklart väljer ni film själva. I bussen finns plats för 22 gäster och ni kan placera bilen var ni vill. Filmen visas i HD med Dolby 07:01 surround sound. Två personer medföljer med bilen för att hantera utrustningen.

SPÄNNANDE SIGHTSEEING

– Annorlunda platser att besöka i London

20
18 T
Engine Rooms

THE PELICANS @ ST. JAMES'S PARK

– Kolla vilken konstig anka

Adress: The Store Yard, St James's Park, Horse Guards Road, London SW1A 2BJ
Öppettider: Öppettider: alla dagar: 5:00–24:00
Kostnad: Gratis
Station: St. James's Park
www.royalparks.org.uk/parks/st-jamess-park

Vid en naturskön damm i närheten av Buckingham Palace bor några ovanliga invånare, nämligen de berömda pelikanerna i St. James's Park. De lever här, hundratals mil från sin naturliga miljö men verkar inte oroa sig för det – de blir bara fler och fler. Pelikaner infördes i parken för första gången 1664 som en gåva från en rysk ambassadör. 2013 kom fem nya ättlingar till dessa som gåva från staden Prag i Tjeckien. Fåglarna ligger och solar största delen av dagen medan de väntar på att få fisk av parkvårdaren. Annars gillar de att smyga in på London Zoo för att snatta mat av djuren. I övrigt är de ganska sociala med människor, det är inte ovanligt att du ser en pelikan sitta på en parkbänk bredvid en förvirrad kontorsarbetare som försöker behålla sin lunch för sig själv.

THE ROYAL OBSERVATORY

Vad är "London Particular"?

Adress: Blackheath Avenue, Greenwich, SE10 8XJ
Öppettider: varje dag: 10:00–17:00
Kostnad: Gratis
Telefonnummer: +44 (0)20 8858 4422
Station: Cutty Sark (DLR)
www.rmg.co.uk/royal-observatory

Svar: Det var en mycket tjock smog (ofta gul eller grön) som orsakades av luftföroreningar i London. Den är även känd som "pea souper" eller "killer fog".

Här finns Greenwich Mean Time och nollmeridianen i världen. Det är också platsen för Londons enda planetarium, Harrisons ur och Storbritanniens största teleskop. Att gå in på Astronomy Centre är gratis, avgifter kan förekomma på Flamsteed House och the Meridian Courtyard.

YORK HOUSE'S NAKED LADIES @ THE TWICKENHAM MUSEUM

Adress: 25 The Embankment, Twickenham TW1 3DU

Öppettider: tisdag + lördag: 11:00–15:00, söndag: 14:00–16:00

Kostnad: Gratis

Telefonnummer: +44 (0)20 8408 0070

Station: Twickenham

www.twickenham-museum.org.uk

Twickenham Museum är mest känt för de nakna damerna i trädgården. Ja, det är inte riktiga damer som näckar där, nej det är ett gäng grekiska nymfer i vit marmor som pryder ett konstruerat vattenfall. De importerades från Italien av en finansman som sedan tog sitt liv då han åkte fast för förskingring. Nymferna har sällskap av ett par badande pegasushästar. I övrigt är The Twickenham Museum ett historiskt centrum som berättar om områdena runt stadsdelen.

The Royal Observatory...

Galen pelikan i St James Park

CRYSTAL PALACE DINOSAURS

– Som Jurassic Park ungefär

Adress: Thicket Road, London, Crystal Palace SE19 2GA

Öppettider: Alla dagar utom onsdag: 12:00–16:00 (onsdagar: stängt)

Kostnad: Gratis

Telefonnummer: +44 (0)300 303 8658

Station: Crystal Palace

www.crystalpalacepark.org.uk

Vilken rockplatta har en bild på en uppblåsbar gris som flyger över nu nedlagda Battersea Power Station i London?

I Crystal Palace Park finns ett gäng dinosaurier utställda. Det är inte vilka dinosaurier som helst utan faktiskt världens första dinosaurieskulpturer. De konstruerades ursprungligen för en utställning i Hyde Park och avtäcktes redan 1854. Tyrannosaurus Rex och Stegosaurus finns till exempel inte med i flocken för när dinosaurerna byggdes hade man ännu inte upptäckt dessa arter. Modellerna är nu klassade som kulturminnen och de genomgick 2002 en omfattade restaurering. Även om vi i dag vet mer om dessa utdöda jättar och alla detaljer inte är helt korrekt återskapade på dessa modeller, så är dessa bamsingar en trevlig utflykt för alla djurälskare.

Crystal Palace Dinosaurs

Svar: Pink Floyds "Animals" (1977).

STORBRITANNIENS MINSTA POLISSTATION

I det sydöstra hörnet av Trafalgar Square
Station: Charing Cross

Ganska undangömt i hörnet av Trafalgar Square ligger denna förbisedda men världsrekordbelönta byggnad. Det sägs att den lilla skrubben ska rymma två fångar i taget, vid behov, men det var framförallt en plats där en polis stod placerad för bevakning. Lite som en övervakningskamera från 1920-talet. Byggnaden uppfördes 1926 främst för att hålla ett öga på bråkiga demonstranter. I denna telefonkiosk till polisstation fanns faktiskt även en telefon med direktlinje till Scotland Yard och när man lyfte på luren började en lampa i husets topp att lysa för att alarmera alla polismän i närheten om att det var fara å färde.

THE CAMDEN PUB CRAWL

– Pubrunda med backpackers

Adress: The Beatrice, 55 Camden High Street, NW1 7JH
Pubrundor: varje dag 19:30 (The Beatrice) och 21:30 (på Belushi's)
Kostnad: förköp på hemsidan: £12, drop-in: £14
Telefonnummer: +44 (0)20 7387 3691
Station: Mornington Crescent

Varje kväll klockan 19:30 samt 21:30 utgår en pubrunda från vandrarhemmet St. Christopher's bar Belushi's i Camden. Du förköper biljetter på hemsidan eller dyker bara upp på Belushi's i god tid innan pubrundan. Väl där erbjuds du en rundtur bland de bästa barerna och klubbarna i Camden. Under pubrundan får du gratisshots och inträde på klubbar, och du får gå före i kön samt får rabatter på drycker på de barer ni besöker. Dessutom träffar du en massa nya trevliga människor. Du måste vara över 18 år och ha med dig legitimation.

THE ALTERNATIVE LONDON BIKE TOUR

– Se East End på cykel

Adress: skickas med e-mail då du bokat din tur.
Turer: Lördagar klockan 14:00, 3,5 timmarstur
Kostnad: £20 inklusive cykel och hjälm
E-mail: info@alternativeldn.com
Station: Old Street
www.alternativeldn.co.uk

The Alternative London Bike Tour tar dig dit ingen annan guidad tur tagit dig förut. Med cyklarnas hjälp utforskar ni East Ends intressanta förflutna och det nydanande kulturella som till exempel gatukonst samt cyklar längs natursköna kanaler. Turen går endast på lugna gator och cykelvägar och man rastar ofta. Reservera plats på hemsidan. Företaget erbjuder även en Street Art Bike Tour för £12. Cykelturerna utförs endast sommartid.

FREIGHTLINERS CITY FARM

– Besök en bondgård mitt i stan

Adress: Sheringham Road, London, N7 8PF
Öppettider: mån: stängt, tis–sön: 10:00–16:00
Kostnad: Gratis
Telefonnummer: +44 (0)20 7609 0467
Station: Highbury Corner
www.alternativeldn.co.uk

Vad kallas den gula linjen i Londons tunnelbana som har går i en cirkel med 26 stationer?

Svar: Circle Line.

Freightliners Farm grundades på ödemarken bakom Kings Cross station i London 1973. Ursprungligen inhystes djuren i Freightliners järnvägsgodsvagnar – därav namnet. Gården flyttades till sin nuvarande plats 1978 och nya specialbyggda byggnader uppfördes 1988. Detta är den enda stadsbondgården i Storbritannien som har som policy att inte slakta sina djur. Här kan man träffa och se bondgårdens alla roliga djur, samt sällsynta raser get- och grisraser.

RIPLEY'S BELIEVE IT OR NOT!

– Det är en ding-ding värld vi lever i

Adress: The London Pavilion, 1 Piccadilly Circus, London W1J 0DA
Öppettider: varje dag året runt: 10:00–24:00
Kostnad: vuxen: £27, barn: £22, student: £25
Telefonnummer: +44 (0)20 3238 0022
Station: Piccadilly Circus
www.ripleyslondon.com

Vill du ha den mest bisarra dag du kan tänka dig i London ska du gå till Ripley's. Här finns över 700 knasiga föremål från hela världen att förundras över som autentiska ecuadorianska krympta huvuden och ett förhistoriskt sköldpaddsskal som är över 215 miljoner år gammal. Även en modell över Tower Bridge i tändstickor och en Ferraribil tillverkad av ull.

WHITECHAPEL GALLERY

– Levande samtidskonst & historiska mästare

Adress: 77-82 Whitechapel High St, London E1 7QX
Öppettider: Mån: stängt, tis–ons + fre–sön: 11:00–18:00, tors: 11:00–21:00
Kostnad: vuxen: £10
Telefonnummer: +44 (0)20 7522 7888
Station: Aldgate East
www.whitechapelgallery.org

På detta konstgalleri har världsberömda konstnärer som Pablo Picasso, Jackson Pollock, Mark Rothko och Frida Kahlo samt de samtida Sophie Calle, Lucian Freud, Gilbert & George och Mark Wallinger ställt ut sina verk. Utställningarna varierar mycket med avseende på tema och nationaliteter och galleriet främjar även lokala konstnärer som bor och arbetar i East End. Här finns ingen permanent samling utan olika utställningar går efter ett rullande schema.

HAM POLO CLUB

– Kolla in överklassens söndagssysselsättning

Adress: Petersham Road, Richmond, Surrey, TW10 7AH
Öppettider: Se hemsidan för matcher (enbart sommartid)
Kostnad: söndag: £5
Telefonnummer: +44 (0)20 8334 0000
Station: Richmond
www.hampoloclub.com

Vilken fiktiv björn från Peru är uppkallad efter den järnvägstation där han hittades?

Svar: Paddington.

Endast en dryg mil från Hyde Park Corner, ligger Ham Polo Club, HPC, den sista kvarvarande poloklubben i London. Den grundades 1926 och har ett etablerat och framstående rykte. Området är känt för sina utmärkta picknickområden i kombination med en avslappnad familjär atmosfär. Här råder dock strikt klädkod: inga shorts, inte för kvinnor, inte för män och inte ens om det är designershorts. Klädkoden beskrivs som "smart casual". Man vistas på området på egen risk eftersom man kan bli skadad av hästarna. Här får du uppleva klassamhället på nära håll när hälften av publiken sitter på filtar på gräsmattan och överklassen på en paviljong på andra sidan. Men alla möts på spelplanen i halvtid då publiken hjälps åt att trampa ned de grästuvor som har rivits upp av hästarnas hovar.

ROLLERSKI LONDON

– Testa rullskidor i Hyde Park

Adress: 20 Brookfield, Highgate West Hill, London N6 6AS
Öppettider: 7 dagar i veckan med förbokning
Kostnad: grupp 2–3 personer £70/timme
Telefonnummer: +44 (0)7968 286129
Station: varierande mötesplatser
www.rollerski.co.uk

Rollerski London erbjuder kurser i rullskidor på populära mötesplatser runt om i London. Vanliga platser att mötas på är Hyde Park, Richmond Park, Battersea Park och Hampstead Heath. Företaget erbjuder 60- eller 90-minuterspass på skidor och lär ut tekniken även till nybörjare och barn. I kostnaden ingår skidor, hjälm och annan utrustning. Det kan vara bra att komma i träningskläder.

THE VIEW FROM THE SHARD

– Se London från stadens nya skyskrapa av glas

32 London Bridge Street, London, SE1 9SG
Öppettider: Sön–ons: 10:00–19:00, tors–lör: 10:00–22:00
Förköp 24-timmar innan besök: Vuxen: £25, barn: £19
Biljettbokning till The View: +44 (0)844 499 7111
Station: London Bridge
www.the-shard.com

The Shard är den högsta byggnaden i västra västeuropa med sitt torn på 310 meter och 87 våningar (våning 72 är den högsta våningen du kan besöka). Tornet påminner om Saurons torn i "Sagan om ringen". Man började bygga skyskrapan 2003 och den öppnades tio år senare i februari 2013. En klar dag kan du se så långt som sex mil över London från The View. Besöksantalet är stort så det bästa är att boka biljetter i förväg för att få njuta av utsikten vid rätt tidpunkt på dagen utan att behöva stå i biljettkön. Biljetterna litet billigare om du bokar 24 timmar i förväg. Dessutom kan öppettider och priser komma att ändras, så kontrollera gärna hemsidan innan ditt besök.

Vilka var "The Bow Street Runners"?

HUNTERIAN MUSEUM

– Kirurgiskt museum om medicinens historia

Adress: The Royal College of Surgeons of England, 35–43 Lincoln's Inn Fields, London WC2
Öppettider: Mån: stängt, tis–lör: 10:00–17:00, sön: 11:00–16:00
Kostnad: Gratis
Telefonnummer: +44 (0) 20 7405 3474
Station: Holborn
www.rcseng.ac.uk/museums

Svar: London första professionella polisstyrka (1749).

Här finns en samling av tusentals medicinska instrument. En del är praktiska och andra är näst intill ohyggliga. Det finns stora samlingar av djur och fåglar bevarade här, liksom mänskliga skallar, käkar och tänder. Här kan du se allt från Churchills proteser till en så stor mängd bevarade inre organ att du gärna hoppar över middagen efteråt. Detta är ett excentriskt litet museum som kanske inte passar alla, men är du det minsta intresserad av naturvetenskap, medicin eller medicinens historia, kommer du finna detta museum väldigt intressant. John Hunter, som museet är uppkallat efter, var ett stort geni och en orädd medicinsk pionjär, men också en outtröttlig samlare.

RIO'S NATURIST SPA

– Naken-SPA för öppensinnade...

Adress: 239–241 Kentish Town Road, Kentish Town, London, NW5 2JT
Öppettider: vrdagar: 11:00–7:00,
lör: 11:00–7:00 (19:00–24:00 endast par), sön: 11:00–22:00
Kostnad: £21
Telefonnummer: +44 (0)20 7485 0607
Station: Kentish Town
www.rios.co.uk

Detta är en hälsoklubb för naturister. Här finns ångbastu, jacuzzi, swimmingpool, solarium och trädgård. Det finns även tv (som om det är vad du vill titta på när du är på ett sådant här ställe), alkoholfria drinkar och lättare rätter. Det ska vara en "bra plats för swingers och unga nudister!". Av någon outgrundlig anledning släpps bara unga personer in. Naturligtvis måste du vara över 18 år gammal.

FITZROY HOUSE

– Scientologins fader, L. Ron Hubbards hus i London

Adress:35–37 Fitzroy Street, Camden, London W1T
Öppettider: Alla dagar: 11:00–17:00 Endast förbokning
Kostnad: Gratis
Telefonnummer: +44 (0)207 255 2422
Station: Warren Street
www.fitzroyhouse.org

Huset byggdes 1791 och är ett av få hus i kvarteret som har behållit sin ursprungliga exteriör. I huset finns ett museum på fyra våningar som illustrerar L. Ron Hubbards liv och leverne. De olika våningarna visar olika delar ur hans liv: pojkåren, åren som science fiction-författare och de senare åren som scientologins grundare. Här finns originalmanuskript, sällsynta upplagor av hans böcker och fotografier. Det är som att stiga in i en tidskapsel från 1950-talet. 2006 utnämndes Hubbard av Guinness rekordbok till den mest publicerade författaren med 1 084 titlar. Du måste förboka dit besök på hemsidan eller per telefon.

YORK HALL LEISURE CENTRE

– Center för träning och avslappning

Adress: 5 Old Ford Road, London E2 9PJ
Öppettider: Mån–fre: 7:00–21:30, lör: 8:00–20:30, sön: 8:00–19:30
Kostnad: Varierande
Telefonnummer: +44 (0)20 8980 2243
Station: Bethnal Green
www.better.org.uk/leisure/york-hall-leisure-centre

Vilken typ av ikonisk stenstruktur finns det delar av utanför både Imperial War Museum och National Army Museum?

Svar: Berlinmuren.

York Hall Leisure Centre har ett toppmodernt gym, motionsanläggningar för grupper, simhall samt ett prisbelönt spa. Det ligger nära Bethnal Greens tunnelbanestation och det finns medlemskap för alla budgetar. Här finns en mängd lektioner och kurser som du kan boka på hemsidan när du vill ägna en dag åt idrott eller avslappning.

LONDONS SMALLEST HOUSE

– Kasta ett öga på Londons minsta hus

Adress: 10 Hyde Park Place, Marble Arch
Station: Marble Arch

Inträngt mellan två normalstora byggnader ligger Londons minsta hus. Det är knappt en meter brett och man tror att det var ett vaktmästarhus för personen som skulle vakta St. Georges gravplats från gravplundrare. Trots att huset är så litet finns här även en liten toalett. Huset byggdes 1805 och skadades av en bomb 1941.

BOXPARK @ SHOREDITCH

– Shoppingcenter uppbyggt i byggcontainrar

Adress: 2–4 Bethnal Green Road London, E1 6GY
Öppettider affärer: mån–lör: 11:00–19:00, tors: 11:00–20:00, sön: 12:00–18:00
Öppettider restauranger: Mån–lör: 8:00–23:00, sön: 10:00–22:00
Telefonnummer: +44 (0)207 033 2899
Station: Shoreditch High Street
www.boxpark.co.uk

Boxpark öppnades 2011 och är en samling baracker med inhysta butiker. På grund av de avskalade lokalerna betalar butikerna låga hyror och kan hålla priserna nere på sina varor. Här finns en mängd butiker inom mode och livsstil samt gallerier, kaféer och restauranger av både lokala och globala märken.

URBAN GOLF @ SMITHFIELD

– Inomhusgolf mitt i centrala London

Vad har Stamford Bridge, Upton Park, Selhurst Park och The Den gemensamt?

Adress: 12 Smithfield St, London EC1A 9LA
Öppettider & kostnad: Maila: theclubsecretary@urbangolf.co.uk
Telefonnummer: +44 (0)207 938 1838
Station: Farringdon
www.urbangolf.co.uk

På tre olika platser i centrala London kan du besöka Urban Golfs inomhusgolfbanor. Förutom Smithfieldbanan som vi rekommenderar finns det även banor i Soho och Kensington. Här hittar du en golfklubb i genuin engelsk miljö, med sju golfsimulatorer, lounge, bar och en putting green. Klubbhusen på golfbanorna är värda ett eget besök. De har designats av prisbelönta designers.

Svar: De är alla London fotbollsplaner (Chelsea, West Ham, Crystal Palace och Millwall).

Efter att man spelat en runda golf erbjuder baren klassiska drinkar i bekväma skinnsoffor framför gigantiska HD-skärmar. Ring eller maila golfklubben för information om öppettider, kostnader och bokningar.

LOVING LONDON

– From London with love

I ♥ LONDON

THE STAR CAFÉ

– Legendariskt lunchcafé

Adress: 22 Great Chapel Street, Soho, London W1F 8FR
Öppettider: Mån–fre: 7:00–16:00
Kostnad: lunch från £8
Telefonnummer: +44 (0)207 437 8778
Station: Tottenham Court Road
www.thestarcafe.co.uk

Vilken pub på Fleet Street har besökts av författare som Charles Dickens, Mark Twain, Alfred Lord Tennyson, Sir Arthur Conan Doyle och GK Chesterton?

The Star Café öppnades redan 1933 av den nuvarande ägarens far. Här kan du njuta under rundade stenvalv och väggarna är fyllda av gamla klassiska plåtskyltar och affischer. Man serverar en klassisk engelsk frukost- och lunchmeny i en unik miljö. Under alla kvällar (efter klockan 18:00) utom söndag och måndag förvandlas kaféet till en cocktail- och ginbar under namnet The Star at Night.

LONDON UNPACKAGED

– Ekologisk mataffär som säljer oförpackade varor

42 Amwell Street London EC1 1XT
Öppettider: Mån–ons: 9:00–20:00, tors–lör: 9:00–23:00, sön: 9:00–17:00
Telefonnummer: +44 (0)20 7713 8368
Station: Angel
www.beunpackaged.com

Plastförpackningar är ett av vårt århundrades största miljöhot. Unpackageds koncept är därför att sälja varor utan onödiga förpackningar. Företaget grundades 2006 och har ett par filialer i London. Kunderna har med sig sina egna förpackningar och tygpåsar att bära varorna i. Det finns även återanvända förpackningar i butiken att köpa.

Svar: Ye Olde Cheshire Cheese.

Produkterna i butiken är närodlade och/eller ekologiska och du fyller själv på din medhavda flaska eller burk med vad du behöver av till exempel olja, ris, nötter eller kryddor. Man erbjuder även miljövänliga rengöringsmedel och toalettartiklar. I butiken finns även en lunchrestaurang med nylagad mat och salladsbar.

NOTTING HILL FARMERS MARKET

– Närodlad frukt- och grönsaksmarknad

Adress: Waterstone's Car Park Kensington Place, Kensington, London W8 7PP
Öppettider: Lördagar: 9:00–13:00
Telefonnummer: +44 (0)20 7833 0338
Station: Notting Hill
www.lfm.org.uk/nott.asp

Notting Hill Farmers Market har funnits sedan 1999 och är en väl bevarad hemlighet bland lokalbefolkningen i Notting Hill. Här säljer bönder det de odlar på sina gårdar, det finns engelska oliver, färsk mjölk, grädde, yoghurt och ost, frukt och grönsaker. Marknaden ligger på en parkeringsplats i Notting Hill bakom bokhandeln Waterstone's.

London Unpackaged

HEAVEN NIGHTCLUB

– Londons första och en gång hetaste gayklubb

Adress: Under the Arches, Villiers St, WC2N 6NG
Öppettider: Mån: 23:00–5:30, tors–lör: 23:00–4:00
Inträde: Cirka £17
Telefonnummer: +44 (0)20 7930 2020
Station: Embankment eller London Sharing Cross
www.heavennightclub-london.com

När Heaven öppnade sina dörrar 1979 var det något helt revolutionerande. Det var Londons första gay-superclub där acid house-musiken föddes och här trängdes homosexuella kändisar med varandra. Klubben har i dag olika events onsdag till lördag med olika teman. Här dansar du natten lång till electropop, house och dance spelade av talangfulla dj:s och ibland förekommer liveframträdanden. På måndagar är det gratis inträde för alla studenter med studentleg.

DISCO

– Retrodisco á la 1970-talet

Adress: 13 Kingly Court, Central London, W1B 5PW
Öppettider: Tors–lör: 23:00–3:30
Kostnad: Varierar
Telefonnummer: +44 (0)20 7299 1222
Station: Piccadilly Circus
www.disco-london.com

Viktorianska kyrkomän var emot bygget av Londons underjordiska tunnelbana, varför?

Svar: Convent Garden. Platsen var ursprungligen en handelsträdgård för ett kloster (convent).

Välkommen tillbaka till discodansens glittrande tid! Sväng dina lurviga till klassiska låtar av Donna Summer, KC and the Sunshine Band, The Trammps, Van McCoy, Gloria Gaynor med flera. Klubb Disco öppnade så sent som i juni 2013 men nattklubben var efterlängtad av många Travolta-wannabes som önskat att de fått uppleva det utsvävande Studio 54. När du är här får du hela showen: anställda dansare, Pan Am-inspirerad incheckningsdisk med flygvärdinnor och boardingkort i garderoben, livemusik och klassisk discomusik på vinyl under de gnistrande discokulorna. Det är en medlemsklubb, men skriv upp dig på gästlistan på hemsidan eller ring numret ovan så kommer du in. Eftersom stället är litet måste du skriva upp dig i förväg – drop-in gäster accepteras inte. Du ska vara över 21 år för att komma in och dresskoden som gäller är: ju mer glitter desto bättre. Absolut bäst på stället är servitörernas uniformer, det surrealistiska schackrutiga golvet och framförallt den fantastiska discoinspirerade bardisken.

TRUEFIT & HILL

– Besök den äldsta barberaren i världen

Adress: 71 St James's Street SW1
Öppettider: Mån–fre: 8:30–17:30,
Kostnad: £42 för en vanlig "hot towel wet shave" på 30 minuter
Telefon tidsbokning: +44 (0)20 7493 2961
Station: Green Park
www.truefittandhill.co.uk

I över 200 år, sedan 1805, har Truefit & Hill friserat och tagit hand om mäns ansiktshår. På väggen sitter ett diplom från Guinness rekordbok där stället utnämns till världens äldsta fortfarande öppna barberarsalong. Här utlovas en exceptionell upplevelse. Här säljs också en mängd produkter för daglig hårvård. Gå hit för att skämma bort dig under din Londonvistelse.

CAFÉ DE PARIS

– Världskänd burlesk kabaré

Adress: 3–4 Coventry St, London W1D 6BL
Öppettider: Mån–tors + sön: stängt, fre: 17:30–3:00, lör: 18:00–3:00
Inträde: £25.00
Telefonnummer: +44 (0)20 7734 7700
Station: Piccadilly Circus
www.cafedeparis.com

Café de Paris är en världsberömd kabaré med anor från 1920-talet, som du bör besöka åtminstone en gång för att uppleva den exklusiva och barocka miljön, livemusiken, den franska burlesken och den eleganta middagsserveringen. Här var Marlene Dietrich en av stjärnartisterna när det begav sig. Denna historiska lokal bombades under andra världskriget, vilket olyckligtvis innebar ett antal dödsoffer. Trots tragiken är detta en fantastisk vacker plats med glittrande kristallkronor, guldbalkonger, färgglada draperier och utsmyckade tak som för tankarna till en bal i sagornas värld. Förbered dig på en lyxig annorlunda kväll på stan, och se till att boka biljetter i förväg.

SOHO'S SECRET TEA ROOM

Adress: 29 Greek Street, W1D 5DH, på övervåningen av Coach & Horses
Öppettider: Mån–sön: 12:00–18:00
Kostnad: afternoon tea med tillbehör ca £14.50
Telefonnummer: +44 (0)207 437 5920
Station: Leicester Square eller Tottenham Court Road
www.sohossecrettearoom.co.uk

Covent garden är egentligen en felstavning, vad skulle platsen egentligen ha hetat?

Svar: De trodde att bullret från tågen skulle störa Djävulen så att han blev sur och tvär.

Tre minuters promenad från Leicester Square, undanskymt på våningen ovanför en av Londons främsta pubar – Coach & Horses – finner man detta undangömda tehus. Här spelas jazz och sving från 1940-talet på grammofon och här serveras klassiskt afternoon tea. Här finns fantastiska hembakta kakor i alla färger och former: scones, muffins, cupcakes och allt annat man kan önska sig. Bäst är kaféets scones som smakar himmelskt. Även Coach & Horses är väl värt ett besök: de marknadsför sig som Londons första vegetarianska pub och enligt sägnerna rullar ibland en spökvagn med fyra hästar förspända förbi byggnaden.

CAFÉ DIANA

– Hyllningscafé till prinsessan Dianas minne

Adress: 5 Wellington Terrace, Bayswater, W2 4LW
Öppettider: Mon–sön: 08:00–23:00
Kostnad: frukost £4-£7
Telefonnummer: +44 (0)20 7792 9606
Station: Notting Hill Gate

Det sägs att prinsessan Diana brukade besöka det här kaféet som nu är fyllt av bilder på ikonen. Här serveras en mängd engelska och arabiska rätter som smörgåsar, varm mat, snacks och dryck. Det är egentligen ett vanligt enkelt engelskt kafé men väggarna täcks av inramade fotografier på Diana samt ett brev som hon har skrivit till kaféet. En engelsk frukost kostar mellan £4–7. Värt ett besök om du gillar ikon-prinsessan Diana.

BERKELY AFTERNOON TEA: PRÊT-À-PORTEA

– Fashionabel afternoon tea

Adress: The Berkeley, Wilton Place, Knightsbridge, London SW1X 7RL
Öppettider:13:00–17:30 varje dag
Kostnad: £49 per person
Telefonnummer: +44 (0)20 7107 8866
Station: Hyde Park Corner eller Knightsbridge
www.the-berkeley.co.uk/fashion-afternoon-tea

Hur många människor dog i The Great Fire of London 1666?

Det femstjärniga hotellet Berkely serverar specialdesignade kakor till sitt afternoon tea i form av plagg och accessoarer från välkända modedesigners: Burberrys trenchcoat eller Saint Laurents mest sålda handväska till exempel. På hotellet råder klädkoden ”elegant smart”, ej shorts, flip-flops, västar, sportkläder, jeans eller kepsar. Det är bäst att reservera bord. Ja, Berkelys afternoon tea kostar dig skjortan.

RIVOLI BALLROOM

– Dansa jive under kristallkronans sken hela natten lång

Adress: 350 Brockley Road, LondonSE4 2BY
Öppettider: Kontrollera öppettider innan besök
Kostnad: Vuxen: £26, studenter: £20
Telefonnummer: +44 (0)20 8692 5130
Station: Crofton Park
www.therivoli.co.uk

Detta är Londons mest historiska balsal. Under det välvda gyllengula taket, där discokulor trivs bra tillsammans med kinesiska lyktor och ljuskronor, kan gästerna dansa pardans iklädda sin favoritkostym (oavsett om det är elegant, over-the-top, pärlor, latex) men inte vanliga jeans eller vardagskläder.

Svar: Otroligt nog bara sex personer.

Här finns alla typer av människor och snart känns det som du känner alla. Etiketten är artig och gammaldags: här står man i kö till baren och du skall fråga om lov innan du fotograferar någon av de andra gästerna. Du får inte heller komma hit naken – good to know! Tina Turners musikvideo till låten ”Private Dancer” spelades in här. En gång i månaden hålls 1940-50-tals-aftar rum här. Innan dansen sätter igång håller man enkla kurser i jive och liknande för de som inte tidigare dansat klassisk pardans.

RONNIE SCOTT'S JAZZ CLUB @ SOHO

– Legendarisk jazzklubb

Adress: 47 Frith St, London W1D 4HT
Öppettider: Mån–lör: 18:00–3:00, sön: 18:30–24:00
Kostnad: £30
Telefonnummer: +44 (0)20 7439 0747
Station: Leicester Square
www.ronniescotts.co.uk

Ronnie Scott's säger sig vara en av världens äldsta jazzklubbar. De öppnade 1959 och kan skryta med att ha presenterat många av de stora namnen inom modern jazz. Här råder avslappnad klädstil, men de flesta klär upp sig lite grann. Flip-flops och shorts rekommenderas inte. Du får inte heller fotografera inne på klubben. Vill du besöka klubben – det är en oförglömlig upplevelse – bokar du bord i förväg om du vill äta eller kommer i god tid för att få en bra plats i baren.

TEMPLE GALLERY

– Galleri med ikonbilder

Adress: 6 Clarendon Cross W11

Öppettider: Mån–fre: 10:00–18:00, lör: 12:00–16:00, sön: stängt

Kostnad: Gratis

Telefonnummer: +44 (0)20 7727 3809

Station: Notting Hill

www.templegallery.com

Detta galleri grundades 1959 av Richard Temple. Galleriet studerar, restaurerar och ställer ut antika ikonbilder och sakral konst. Temple har hjälp flera av världens mest framstående konstmuseer – till exempel British Museum och Louvren – med att förvärva ikoner. Temple har även skrivit flera böcker om religiös konst. På galleriet hålls olika utställningar och vissa tavlor är även till salu. Ett intressant och lite annorlunda konstmuseum som är trevligt att besöka.

THE SLIMELIGHT

– Alternativ svartrockklubb

Den första telefonkatalogen publicerades i London. Hur många telefonnummer och namn innehöll den?

Adress: Electrowerkz, 7 Torrens Street, London EC1V 1NQ

Öpppettider: lördag: 22:00–07:30

Standardentré: Medlem £5, tidig gäst £8, fint folk £12

Telefonnummer: +44 (0)20 7837 6419

Station: Angel

www.empires-and-dance.com

Detta är antagligen den största, äldsta och mest kända alternativklubben i hela Storbritannien.

Svar: 25 stycken.

Dörrarna öppnades för första gången 1987 och här skapades en scen för alternativ musik inom industri, cyber-synth, goth, EBM, future pop och många andra obskyra musikgenrer. Klubben har tre våningar, tre dansgolv, biljardbord, alternativ karaoke, biograf, scen för liveband och rökterrass. Varje lördag vallfärdar allehanda svartrockare i fantasifulla kläder hit för förlustelser natten lång. Köp biljetter i förväg och följ klädkoden genom att bära svart. Ett besök på klädaffären Cyberdog som beskrivs i kapitlet Annorlunda Affärer kan vara på sin plats innan du besöker Londons hårdaste nattklubb.

NIGHTCLUBS @ VAUXHALL

– Hetaste nattklubbarna i London med olika klubbkvällar

Station: Vauxhall

Vauxhall har blivit ett fenomenalt näste för klubbande nattsuddare under de senaste åren. En mängd klubbar har dykt upp här sedan området ryckte upp sig med nya bostäder och kontorslokaler. Royal Vauxhall Tavern på 372 Kennington Lane och Hidden på 100 Tinworth Street är två av de bästa gayklubbarna just nu.
Fire på South Lambeth Road spelar hard house ända fram till förmiddagen dagen efter. Vill du se klubb-London från den mer alternativa sidan så är hållplatsen Vauxhall the place to be.

ANTECKINGAR:

10